HET FRON

Van Patricia Cornwell zijn eerder verschenen:

1 Fataal weekend*
2 Corpus delicti*
3 Al wat overblijft*
4 Rigor mortis*
5 Modus operandi*
6 Het Kaïnsteken*
7 Doodsoorzaak*
8 Onnatuurlijke dood*
9 De brandhaard*
10 Zwarte hoek*
11 Het eindstation*
12 Aasvlieg*
13 Sporen*
14 Roofdier*
15 Dodenrol
(1 t/m 15: met *Kay Scarpetta*)

Wespennest*
Zuiderkruis*
Hondeneiland*

Het risico
Het front

Portret van een moordenaar

*In POEMA-POCKET verschenen

Patricia Cornwell

Het front

SIJTHOFF

Oorspronkelijke titel: *The Front*

Vertaling: Mariëtte van Gelder

Omslagontwerp: Rob van Middendorp

Omslagfotografie: A. Topple / Corbis

ISBN 978 90 218 0024 0

NUR 332

www.boekenwereld.com

www.patriciacornwell.com

Ik draag dit boek op aan Ursula MacKenzie,
die me zo briljant uitgeeft in het Verenigd Koninkrijk

I

Win Garano zet twee *lattes* op een picknicktafel bij de John F. Kennedy School of Government. Het is een zonnige middag halverwege mei en het is druk op Harvard Square. Hij gaat schrijlings op een bank zitten, te warm gekleed en zweterig in een zwart Armani-pak met zwarte lakleren Prada-schoenen. Hij is er vrij zeker van dat de oorspronkelijke eigenaar van de kledingstukken en het schoeisel dood is.

Dat gevoel kreeg hij toen de verkoopster van Hand Me Ups zei dat hij het 'licht gedragen' pak voor negenennegentig dollar mocht hebben en vervolgens meer pakken, schoenen, riemen, dassen en zelfs sokken tevoorschijn haalde van DKNY, Hugo Boss, Gucci, Hermès en Ralph Lauren. Allemaal van dezelfde *ster van wie ik de naam niet mag noemen*, en het schoot Win te binnen dat er nog niet lang geleden een receiver van de Patriots was omgekomen bij een auto-ongeluk. Een meter drieëntachtig, tweeëntachtig kilo, gespierd, maar geen kleerkast. Kortom: ongeveer van Wins maat.

Hij zit alleen aan de picknicktafel, met de minuut opgelatener. De elite van studenten en docenten (de meesten in spijkerbroek of korte broek en met een rugzak) vormt groepjes aan andere tafels, opgaand in gesprekken waarin weinig aandacht wordt besteed aan de saaie lezing die openbaar aanklager Monique Lamont net in de aula heeft gehouden: 'Geen naaste achtergelaten'. Win had

haar gewaarschuwd dat het een onduidelijke titel was, om nog maar te zwijgen van het feit dat het onderwerp te banaal was voor zo'n prestigieuze politieke arena. Ze zal het niet op prijs kunnen stellen dat hij gelijk had. Hijzelf kan het niet op prijs stellen dat ze hem hier op deze dag heeft laten opdraven om hem te kunnen koeioneren en vernederen. Noteer dit, noteer dat. Bel zus-en-zo. Ga koffie voor me halen. Van Starbucks. Latte met magere melk en een zoetje. Wacht buiten op me terwijl ik onderonsjes hou in de gekoelde lucht van Littauer Center. Hij kijkt gemelijk toe wanneer ze uit het stenen gebouw komt, geflankeerd door twee politiemensen in burger van de staatspolitie van Massachusetts, waar Win als rechercheur moordzaken werkt. Hij is gedetacheerd bij de recherche-eenheid van het Openbaar Ministerie van Middlesex, wat inhoudt dat hij is toegewezen aan Lamont, die hem de vorige avond thuis heeft opgebeld om te zeggen dat hij met onmiddellijke ingang verlof had van zijn gewone taken. *Ik leg het wel uit na mijn lezing in de aula. Ik zie je om twee uur.* Verder geen informatie. Ze blijft staan om een interview te geven aan de plaatselijke zusterzender van ABC en dan aan NPR. Ze praat met verslaggevers van *The Boston Globe* en Associated Press en met die Harvard-student, Cal Tradd, die voor *Crimson* schrijft en denkt dat hij van *The Washington Post* is. De pers is gek op Lamont. De pers vindt het heerlijk om haar te haten. De machtige, beeldschone aanklager laat niemand koud. Vandaag heeft ze een opvallend groen pakje aan. Escada, de nieuwe voorjaarscollectie. Ze moet de laatste tijd flink hebben geshopt, want telkens als Win haar ziet, heeft ze iets nieuws aan.
Ze loopt zelfbewust over het stenen plein, langs grote

bakken met azalea's, rododendrons en roze en witte kornoelje, en intussen blijft ze met Cal praten. Cal, zo cool en beheerst, zo zeker van zichzelf, nooit zenuwachtig, zijn gezicht altijd in de plooi en altijd zo godvergeten prettig in de omgang. Hij zegt iets terwijl hij een aantekening maakt in zijn boekje, en Lamont knikt, en hij zegt weer iets, en Lamont blijft knikken. Win zou willen dat die gast eens iets stoms deed, dat hij van Harvard werd geschopt. Of zakte, dat zou nog mooier zijn. Die teringlijder.

Lamont laat Cal inrukken, geeft haar beschermers in burger een teken dat ze alleen wil zijn en gaat tegenover Win zitten. Haar ogen gaan schuil achter een spiegelende bril met grijze glazen.

'Ik vond dat het goed ging.' Ze pakt haar latte zonder Win ervoor te bedanken.

'De opkomst was niet hoog, maar je betoog leek over te komen,' zegt hij.

'Het is wel duidelijk dat de meeste mensen, jij incluis, de omvang van het probleem niet bevatten.' Die vlakke toon die ze gebruikt wanneer ze in haar ijdelheid is gekwetst. 'De verloedering in de buurten is in aanleg net zo vernietigend als de opwarming van de aarde. De burger heeft geen enkel respect voor de politie en is totaal niet genegen ons of een ander te helpen. Toen ik het afgelopen weekend in Central Park in New York liep, zag ik een onbewaakte rugzak op een bank. Denk je dat ook maar iemand op het idee kwam de politie te bellen? Zich afvroeg of er een bom in kon zitten? Welnee. Iedereen liep gewoon door. Ze zullen wel hebben gedacht dat als dat ding ontplofte, het niet hún probleem was, zolang ze maar niet gewond raakten.'

'De wereld gaat naar de verdommenis, Monique.'

'De mensen zijn zelfgenoegzaam geworden en dit is wat we eraan gaan doen,' zegt ze. 'Ik heb het decor neergezet, nu gaan we het drama creëren.'

Elke dag met Lamont is een drama.

Ze speelt met haar beker latte en kijkt om zich heen om te zien wie er naar haar kijken. 'Hoe trekken we de aandacht? Hoe zorgen we dat uitgebluste, afgestompte mensen zich weer druk gaan maken om criminaliteit? En wel in die mate dat ze besluiten zich er zelf mee te gaan bemoeien? Je lokt ze niet met bendes, drugs, autokapingen, berovingen en inbraken. Waarom niet? Omdat de mensen een misdaadprobleem willen dat, laten we eerlijk zijn, voorpaginanieuws is, maar anderen overkomt, niet henzelf.'

'Ik was me er niet van bewust dat de mensen een misdaadprobleem wilden.'

Hij ziet een magere jonge vrouw met rood kroeshaar die niet ver bij hen vandaan bij een Japanse esdoorn rondhangt. Gekleed als Lappen Lijs, compleet met gestreepte kousen en lompe schoenen. Vorige week heeft hij haar in het centrum van Cambridge bij de rechtbank zien rondhangen, waarschijnlijk wachtend tot ze moest voorkomen. Vermoedelijk voor een klein vergrijp als winkeldiefstal.

'Een onopgeloste lustmoord,' vervolgt Lamont. 'Watertown, 4 april 1962.'

'Juist. Deze keer geen afgelegde zaak, maar een die al onder de grond is gestopt,' zegt hij zonder zijn blik van Lappen Lijs af te wenden. 'Ik sta ervan te kijken dat je zelfs maar weet waar Watertown ís.'

Het is in haar arrondissement, Middlesex (samen met

nog een stuk of zestig andere gemeentes waar ze geen reet om geeft).

'Tien vierkante kilometer, vijfendertigduizend inwoners, heel diverse etnische samenstelling,' zegt ze. 'De volmaakte misdaad, die toevallig is gepleegd in de ideale microkosmos voor mijn initiatief. De commissaris daar laat je samenwerken met zijn hoofdrechercheur... Je weet wel, die met die gedrochtelijke bus voor technisch onderzoek. Hoe noemen ze haar ook alweer?'

'Stump.'

'Ja. Omdat ze klein en dik is.'

'Nee, omdat haar ene been onder de knie is geamputeerd,' zegt Win.

'Wat kunnen politiemensen toch bot zijn. Ik geloof dat jullie elkaar kennen van dat buurtwinkeltje waar zij schnabbelt, dus dat is een goed begin. Het helpt als je bevriend bent met iemand met wie je veel tijd gaat doorbrengen.'

'Het is een prestigieuze delicatessenwinkel, ze "schnabbelt" er niet zomaar en we zijn niet bevriend.'

'Voel je je aangevallen? Hebben jullie iets gehad en is het niets geworden? Dat zou namelijk problematisch kunnen zijn.'

'Er is niets persoonlijks tussen ons, ik heb zelfs nooit met haar aan een zaak gewerkt,' zegt Win, 'maar jij wel, dunkt me, aangezien er genoeg misdaad is in Watertown en zij al net zo lang meeloopt als jij.'

'Hoe kom je daarbij? Heeft ze iets over me gezegd?'

'We hebben het meestal over kaas.'

Lamont werpt een blik op haar horloge. 'Laten we de feiten van de zaak doornemen. Janie Brolin.'

'Nooit van gehoord.'

'Een Britse. Ze was blind, wilde een jaar naar Amerika en koos voor Watertown, waarschijnlijk vanwege Perkins, misschien wel de beroemdste blindenschool van de wereld. Helen Keller heeft er ook op gezeten.'

'Perkins zat nog niet in Watertown in de tijd dat Helen Keller erop zat. Toen zat het nog in Boston.'

'Waarom weet jij zulke trivialiteiten?'

'Omdat ik een triviaal mens ben. En het is wel duidelijk dat jij al een tijdje bezig bent met dit "drama". Waarom heb je tot het laatste moment gewacht om mij erover te vertellen?'

'Dit is een heel gevoelige zaak die zeer discreet moet worden aangepakt. Stel je voor: je bent blind en je merkt dat er een indringer in je huis is. Die horrorfactor en dan iets nog veel belangrijkers. Ik denk dat je erachter zult komen dat ze heel goed het eerste slachtoffer van de Boston Strangler geweest zou kunnen zijn.'

'Begin april 1962, zei je?' Win fronst zijn voorhoofd. 'Zijn vermeende eerste moord was pas twee maanden later, in juni.'

'Dat wil niet zeggen dat hij daarvoor geen moorden had gepleegd, alleen dat hij niet in verband is gebracht met eerdere zaken.'

'Hoe wil je bewijzen dat de moord op Janie Brolin, of de andere dertien vermeende moorden van de Strangler, overigens, door hem zijn gepleegd terwijl we nog steeds niet weten wie hij was?'

'We hebben het DNA van Albert DeSalvo.'

'Niemand heeft ooit bewezen dat hij de Strangler was en, relevanter, hebben we DNA van de zaak-Janie Brolin als vergelijkingsmateriaal?'

'Dat moet jij uitzoeken.'

Hij leidt uit haar gedrag af dat er geen DNA is en dat ze dat donders goed weet. Waarom zou het er ook zijn, een jaar of vijfenveertig later? Destijds was er nog niet zoiets als DNA-onderzoek of zelfs maar het idee dat het er ooit zou komen. Een veronderstelling bewijzen of ontkrachten kunnen ze dus wel vergeten, wat Win betreft.

'Het is nooit te laat voor gerechtigheid,' oreert Lamont, al noemt Win het Lamonteren. 'Het is tijd om de burger en de politie te verenigen in de strijd tegen de misdaad. Tijd om onze buurten weer op te eisen, niet alleen hier, maar over de hele wereld.' Dat heeft ze daarnet ook tijdens haar weinig bezielende lezing gezegd. 'Wij gaan een model opstellen dat overal navolging zal vinden.'

Lappen Lijs is aan het sms'en. Ze is geschoffeld. Het wemelt ervan op Harvard Square. Win heeft pas nog iemand voor de supermarkt aan de stoep zien likken.

'Vanzelfsprekend mag er niets uitlekken naar de pers tot de zaak is opgelost, en dan breng ik het nieuws, uiteraard.' Ze staat op van de picknickbank. 'Het is te warm voor mei,' klaagt ze. 'Morgenochtend om tien uur precies bij de commissaris in Watertown.'

Ze laat haar nauwelijks aangeroerde latte staan zodat hij die gedwee in een afvalbak kan gooien.

Een uur later, als Win bijna klaar is met zijn derde setje op de *leg press*, zoemt zijn iPhone als een groot insect. Hij neemt op, haalt een handdoek over zijn gezicht en doet zijn draadloze oortje in.

'Sorry, je staat er alleen voor,' zegt Stump in antwoord op het bericht dat hij op haar voicemail heeft ingesproken.

'We hebben het er nog wel over.' Hij is niet van plan de

zaak te bespreken in de fitnesszaal van het Charles Hotel, die hij niet kan betalen, maar mag gebruiken in ruil
voor zijn deskundigheid op het gebied van beveiliging en
zijn connecties.

Hij gaat naar de kleedkamer, neemt een snelle douche
en trekt zijn kleren weer aan, maar nu met motorlaarzen eronder in plaats van schoenen. Hij pakt zijn helm,
zijn kogelwerende jack en zijn handschoenen. Zijn motor, een rode Ducati Monster, staat voor het hotel op het
voor hem gereserveerde plekje op de stoep, dat is afgezet met pylonen. Net als hij zijn sporttas in de koffer van
hard plastic heeft gestopt en hem afsluit, komt Cal Tradd
op hem af.

'Ik dacht wel dat zo iemand als jij op de Superbike zou
rijden,' zegt Cal.

'O? Waarom zou je dat denken?' zegt Win voordat hij
zich kan bedwingen.

Het laatste waar hij zin in heeft, is een gesprek met dat
verwende ettertje aanknopen, maar hij is uit het lood geslagen. Hij had nooit kunnen vermoeden dat Cal iets van
motoren zou weten, laat staan van de Ducati 1098 S Superbike.

'Ik heb er altijd een willen hebben,' zegt Cal. 'Ducati,
Moto Guzzi, Ghezzi-Brian. Maar als je op je vijfde op
pianoles moet, kun je zelfs een skateboard wel vergeten.'

Win is het spuugzat om eraan herinnerd te worden. De
kleine Mozart, die op zijn vijfde al recitals gaf.

'Nou, wanneer gaan we samen rijden?' vervolgt Cal.

'Wat is er zo moeilijk aan de woorden *nee* of *nooit*? Ik
neem niemand mee op de motor en ik heb de pest aan
publiciteit. En dat heb ik je nu... even denken... een keer
of vijftig gezegd?'

Cal diept een opgevouwen vel papier uit de zak van zijn kaki broek op en geeft het aan Win. 'Mijn nummers. Dezelfde die je de vorige keer dat ik ze gaf waarschijnlijk hebt weggegooid. Misschien kun je me eens bellen, me een kans geven. Monique zei het ook tijdens haar lezing. De politie en de burger moeten de handen ineenslaan. Er is veel rottigheid op de wereld.'

Win loopt zonder ook maar 'tot ziens' te zeggen weg, in de richting van Pittinelli's Gourmet Market, ook zo'n plek waar hij geen geld voor heeft. Hij moest moed verzamelen om er binnen te lopen, een paar maanden geleden, om te zien of hij het op een akkoordje kon gooien met Stump, van wie hij wel had gehoord, maar die hij nooit had ontmoet. Ze zijn geen vrienden en kunnen waarschijnlijk niet eens goed met elkaar opschieten, maar ze hebben een deal die hun beiden ten goede komt. Zij geeft hem korting omdat hij toevallig van de staatspolitie is en toevallig op het hoofdbureau in Cambridge zit, waar zij haar winkel heeft. Laten we het zo stellen: toevallig worden de bestelauto's van Pittinelli niet meer door de politie van Cambridge op de bon geslingerd wanneer ze ergens langer dan de toegestane tien minuten geparkeerd staan.

Hij duwt de voordeur open en loopt Lappen Lijs tegen het lijf, die op weg naar buiten een leeg Fresca-blikje in een afvalbak gooit. De lijpo doet alsof ze hem niet ziet, net als daarstraks bij de School of Government. Nu hij erover nadenkt: toen ze bij de rechtbank rondhing, vorige week, keek ze ook dwars door hem heen toen hij vlak langs haar liep en zelfs 'pardon' zei. Van dichtbij ruikt ze naar babypoeder. Misschien is het al die make-up die ze heeft opgesmeerd.

Hij verspert haar de weg. 'Wat heeft dit te betekenen? We komen elkaar wel erg vaak tegen.'

Ze wringt zich langs hem heen, haast zich over de volle stoep en duikt een zijstraatje in. Weg.

Stump vult binnen de voorraad olijfolie aan, waar de penetrante geur van buitenlandse kaas, prosciutto en salami hangt. Achter de toonbank zit een student die verdiept is in een pocket, en verder is de winkel leeg.

'Ken jij die Lappen Lijs?' vraagt Win.

Stump, die gehurkt in het gangpad zit, kijkt op en geeft hem een glazen flacon met een kurk erin. 'Frantoio Gaziello. Ongefilterd, een beetje grasachtig met een vleugje avocado. Je zult ervan smullen.'

'Ze was net bij jou in de winkel? En vlak daarvoor hing ze bij de School of Government om Lamont en mij heen. En ik heb haar ook bij de rechtbank gezien. Iets te toevallig, wellicht?' Hij kijkt naar de fles olijfolie, zoekend naar het prijsje. 'Misschien stalkt ze me.'

'Dat zou ik zeker doen als ik een zielig, ontspoord straatkind was dat denkt dat ze een lappenpop is. Waarschijnlijk komt ze uit een van de opvanghuizen hier,' zegt Stump. 'Ze loopt hier in en uit, maar koopt alleen maar Fresca.'

'Ze had het wel snel op, tenzij ze het blikje niet leeg heeft gedronken. Toen ze je winkel uit kwam, gooide ze het weg.'

'Haar vaste werkwijze. Ze kijkt rond, drinkt haar Fresca en vertrekt. Volgens mij kan het geen kwaad.'

'Nou, ze begint me op mijn zenuwen te werken. Hoe heet ze, en in welk opvanghuis zit ze? Het lijkt me een goed idee om haar eens na te trekken.'

'Het enige wat ik van haar weet, is dat ze niet helemaal jofel is.' Stump tikt tegen haar voorhoofd.

'Zo, hoe lang weet je al dat Lamont me naar Watertown wil sturen?'

'Even denken.' Stump kijkt op haar horloge. 'Die voicemail is van anderhalf uur geleden? Even rekenen. Ja, ik weet het nu anderhalf uur.'

'Dat dacht ik al. Niemand heeft het je verteld, dus ze zorgt dat we van meet af aan niet met elkaar kunnen opschieten.'

'Ik heb op dit moment geen behoefte aan een nieuwe onbesuisde hobby. Als ze jou op een geheime missie naar Watertown stuurt, moet je niet bij mij komen uithuilen.'

Hij hurkt naast haar. 'Heb jij ooit van de zaak-Janie Brolin gehoord?'

'Je kunt niet in Watertown opgroeien zonder over die zaak te horen, die verdomme een halve eeuw oud is. Die aanklager van jou is niets anders dan een volleerde, koelbloedige politicus.'

'Ze is ook jouw aanklager, tenzij de politie van Watertown zich heeft afgescheiden van het arrondissement Middlesex.'

'Hé,' zegt ze, 'het is niet mijn probleem. Het zal me worst wezen wat de baas en zij samen hebben bekokstoofd. Ik doe het niet.'

'Aangezien het in Watertown is gebeurd en moord niet verjaart, is het formeel gezien wel degelijk jouw probleem, mocht de zaak heropend worden. En het ziet ernaar uit dat dat al is gebeurd.'

'Formeel gezien vallen moorden in Massachusetts met een enkele uitzondering, zoals Boston, onder de jurisdictie van de staatspolitie. Daar wijzen jullie ons tenminste regelmatig op wanneer jullie op de plaats delict komen opdagen en ons onderzoek overnemen, ook wanneer je er geen ene reet vanaf weet. Sorry, maar je staat er alleen voor.'

'Kom op, Stump, doe nou niet zo.'

'We hebben vanochtend weer een bankoverval gehad.' Ze rangschikt flessen op planken. 'De vierde in drie weken. Plus de inbraken in kapsalons, auto's en huizen, de koperdiefstal en de racistische misdrijven. Het houdt nooit op. Ik heb het iets te druk voor zaken van voor mijn geboorte.'

'Dezelfde bankovervaller?'

'Idem dito. Hij geeft de kassier een briefje, haalt de geld-la leeg en de melding gaat naar BAPERN.'

Het Boston Area Police Emergency Radio Network dat politiemensen uit verschillende plaatsen in staat stelt met elkaar te praten, elkaar versterking te bieden.

'Wat inhoudt dat alle politiewagens van de wereld met sirenes en zwaailichten op vol komen aanzetten. De binnenstad ziet eruit alsof er een kerstoptocht wordt gehouden. Wat garandeert dat onze eenmans-Bonnie en Clyde precies weet waar we zijn, zodat hij zich kan verstoppen tot we weg zijn,' zegt Stump op het moment dat er een klant binnenkomt.

'Hoeveel?' vraagt Win, doelend op de fles olijfolie die hij nog in zijn hand heeft.

Meer klanten. Het loopt tegen vijven, dus de mensen komen uit hun werk. Nog even en er zijn alleen nog staanplaatsen. Stump zit beslist niet voor het geld bij de politie, en Win heeft nooit begrepen waarom ze er niet weggaat om eens aan leven toe te komen.

'Je krijgt hem voor de inkoopprijs.' Ze staat op, loopt naar een ander gangpad, pakt een fles wijn en geeft hem die ook. 'Net binnengekomen. Ik ben benieuwd wat je ervan vindt.'

Een Wolf Hill *pinot noir* 2002. 'Oké,' zegt hij. 'Bedankt. Maar waarom smoor je me opeens in je liefde?'

'Het is een condoleancebetuiging. Voor haar werken moet dodelijk zijn.'

'Als je dan toch medelijden met me hebt, kan ik dan gelijk een paar pond Zwitserse kaas, cheddar, *asiago*, rosbief, kalkoen, salade met wilde rijst en baguettes krijgen? En koosjer zout, tweeënhalf ons zou super zijn.'

'Jezus, wat doe je ermee? Geef je margaritafeestjes voor half Boston?' Ze staat op, zo vertrouwd met haar kunstbeen dat hij bijna vergeet dat ze er een heeft. 'Kom op. Aangezien ik medelijden met je heb, krijg je een borrel van me,' zegt ze. 'Laat ik je wat advies geven, als smerissen onder elkaar.'

Ze verzamelen lege dozen, brengen ze naar het magazijn achter in de winkel, en ze loopt de koeling in, pakt twee blikjes Frizz light en zegt: 'Waar jij je op moet richten, is het motief.'

'Van de moordenaar?' vraagt Win terwijl ze aan een klaptafel tussen kratten wijn, olijfolie, azijn, mosterd en bonbons gaan zitten.

'Van Lamont.'

'Je moet door de jaren heen veel zaken met haar samen hebben gedaan, maar ze doet alsof jullie elkaar nog nooit hebben gezien,' zegt Win.

'Verbaast me niets. Ze heeft je zeker niet verteld over die keer dat we zo zat waren dat ze bij mij op de bank moest slapen?'

'Echt niet. Ze gaat niet eens met smerissen om, laat staan dat ze zich ermee zou bezatten.'

'Het was voor jouw tijd,' zegt Stump, die minstens vijf jaar ouder is dan Win. 'In die goeie ouwe tijd voordat haar lichaam werd overgenomen door een buitenaards wezen, was ze een ruige aanklager die op plaatsen delict kwam kijken en met ons ging stappen. Op een avond belandden we na een moord-zelfmoord samen bij Sacco's, waar we aan de wijn gingen. We werden zo smoor dat we onze auto's maar lieten staan en naar mijn huis zijn gelopen. Ze bleef bij me slapen, zoals ik al zei. De volgende dag hebben we ons allebei ziek gemeld, zo'n kater hadden we.'

'Je moet het over iemand anders hebben.' Win, die het niet voor zich kan zien, heeft een akelig gevoel in zijn maag. 'Weet je zeker dat het geen andere aanklager was, dat je die twee in de loop der jaren met elkaar hebt verward?'

Stump lacht. 'Hè? Heb ik alzheimer? De Lamont die jij kent, gaat jammer genoeg alleen nog naar een plaats delict als het er wemelt van de camerawagens, ziet zelden een rechtszaal vanbinnen, wil alleen iets met smerissen te maken hebben als ze ze kan commanderen en geeft niets meer om het strafrecht, alleen nog maar om macht. De Lamont die ik heb gekend, had wel een groot ego, maar waarom ook niet? Afgestudeerd aan Harvard, mooi en superslim. Maar fatsoenlijk.'

'Ze kent het woord niet eens.' Hij begrijpt niet waarom hij opeens zo kwaad en bezitterig is, maar voordat hij zich kan inhouden, voegt hij er vals aan toe: 'Zo te horen heb je een tik van de Walter Mitty-molen gehad. Misschien heb je veel persoonlijkheden gehad, want degene met wie ik nu Frizz zit te drinken, is kort en dik, volgens Lamont.'

Het enige korte aan Stump is haar zwarte haar, en ze is

absoluut niet dik. Nu hij erop let, moet hij zeggen dat ze flink gespierd is. Ze moet wel veel trainen, want in feite heeft ze een geweldig lijf. Ze ziet er niet slecht uit. Nou ja, misschien een tikje mannelijk.

'Ik zou het op prijs stellen als je niet naar mijn borstpartij keek,' zegt ze. 'Het is niet persoonlijk bedoeld. Dat zeg ik tegen alle mannen met wie ik alleen achter in de winkel zit.'

'Denk niet dat ik je wil versieren,' zegt hij. 'Het is niet persoonlijk bedoeld. Dat zeg ik tegen alle vrouwen met wie ik alleen ben. En tegen mannen, mocht de noodzaak zich voordoen. Bij wijze van spreken.'

'Ik had geen idee dat je zo'n brutaaltje was. Bij wijze van spreken. Arrogant, zeker, maar... Wauw.' Ze kijkt hem indringend aan. Neemt een slokje Frizz.

Groene ogen met gouden spikkels. Mooie tanden. Sensuele lippen. Nou ja, een beetje gerimpeld.

'En dan nog een regel van het huis,' zegt ze. 'Ik heb twee benen.'

'Godver. Ik heb geen woord over je been gezegd.'

'Dat bedoel ik dus. Ik heb geen "been". Ik heb er twee. En ik heb je zien kijken.'

'Als je de aandacht niet op je kunstbeen wilt vestigen, waarom noem je jezelf dan Stump? En nu we het er toch over hebben, waarom laat je je door anderen Stump noemen?'

'Het is zeker niet in je opgekomen dat ik al Stump werd genoemd voordat ik een pechdag had met de motor?'

Hij doet er het zwijgen toe.

'Aangezien je een motorjongen bent, zal ik je raad geven,' zegt ze. 'Probeer te voorkomen dat een hufter in een pick-up je in de vangrail rijdt.'

Win denkt opeens aan zijn fris. Neemt een slok.

'En dan nog een taalkundige tip?' Ze mikt haar lege blikje in een afvalbak die zeker vijf meter verderop staat. 'Waag je niet aan literaire verwijzingen. Ik heb Engelse literatuur gedoceerd voordat ik besloot bij de politie te gaan. Walter Mitty had niet veel persoonlijkheden, hij was een dagdromer.'

'Waar komt die bijnaam dan vandaan, als het niets met je been te maken heeft? Je maakt me nieuwsgierig.'

'Waarom Watertown? Daar zou je nieuwsgierig naar moeten zijn.'

'Omdat die moord daar is gepleegd, natuurlijk,' zegt hij. 'Misschien omdat Lamont je kent, al doet ze alsof het niet zo is. Ze heeft je tenminste gekend. Voordat je klein en dik werd.'

'Ze kan het niet uitstaan dat ik haar dronken heb gezien en veel van haar weet door wat er die avond is gebeurd. Laat maar. Ze heeft Watertown niet gekozen vanwege de zaak, maar de zaak vanwege Watertown.'

'Ze heeft die zaak gekozen omdat het niet zomaar een oude onopgeloste moord is,' repliceert Win. 'Het is jammer genoeg een zaak waar de media van zullen smullen. Een blinde vrouw uit het Verenigd Koninkrijk die hier op bezoek is, wordt verkracht en vermoord...'

'Het lijdt geen twijfel dat Lamont de zaak compleet zal uitmelken, maar er staat meer op het spel. Ze heeft meer agenda's.'

'Altijd.'

'Het gaat ook om het FRONT,' zegt Stump.

Friends, Resources, Offices, Networking Together.

'De afgelopen maand hebben zich nog eens vijf korpsen bij onze coalitie aangesloten,' vervolgt ze. 'We zitten nu

aan zestig, en we hebben de beschikking over honden-
teams, arrestatieteams, antiterreureenheden, technisch
onderzoek en sinds kort een helikopter. Het is nu nog
behelpen, maar we hebben steeds minder nodig van de
staatspolitie.'

'Wat ik fantastisch vind.'

'Ja, vast. De staatspolitie vervloekt het FRONT. Lamont
vervloekt het FRONT bovenal, en wat een toeval: het
hoofdkwartier zit in Watertown. Ze laat jou dus op ons
los om ons te laten overkomen als de Keystone Kops.
We moeten een superheld van de staatspolitie laten komen om ons uit de brand te helpen, zodat Lamont iedereen er met de neus op kan drukken hoe belangrijk de
staatspolitie is en waarom die alle steun en subsidies
moet krijgen. Een heerlijke bonus is dat ze mij terug kan
pakken, dat ze mij te kakken kan zetten, want ze zal me
nooit vergeven wat ik weet.'

'Wat weet je dan?'

'Over haar.' Het is duidelijk dat Stump niet van plan is
meer los te laten.

'Dat we een oude zaak oplossen, zet jou toch niet te kakken?'

'Wé? O, nee. Hoe vaak moet ik het nog zeggen? Je staat
er alleen voor.'

'En dan vraag jij je af waarom de staatspolitie iets te
gen... Godver, laat ook maar.'

Ze leunt naar voren, kijkt hem aan en zegt: 'Ik waar-
schuw je, maar je luistert niet. Ze zal ervoor zorgen dat
het FRONT in een kwaad daglicht komt te staan, of die
zaak nou wordt opgelost of niet. Je weet niet half hoe je
wordt gebruikt. Op manieren die je je niet eens kunt
voorstellen. Maar laten we hier eens beginnen: stel dat

het FRONT op een dag groot genoeg is? Wat dan? Misschien kunnen jullie ons dan niet meer koeioneren.'

'Wij zijn gebonden aan de staatswetten, net als jullie,' zegt Win. 'Het is geen kwestie van koeioneren, en je zult mij niet horen beweren dat het systeem rechtvaardig is.'

'Rechtvaardig? Wat dacht je van het ergste belangenconflict van de hele Verenigde Staten? Jullie hebben de complete macht over alle moordonderzoeken. Alle aanwijzingen worden in jullie labs onderzocht. Zelfs de pathologen-anatomen vallen onder de staatspolitie. En vervolgens is de openbare aanklager, die haar eigen eenheid van de staatspolitie heeft om die zaken van voor tot achter te onderzoeken, degene die tot vervolging overgaat. Voor jou en ondergetekende is dat Lamont, die onder de procureur-generaal valt, die onder de gouverneur valt. Wat wil zeggen dat de gouverneur in feite het zeggen heeft over alle moordonderzoeken in Massachusetts. Daar laat ik me niet aan de haren bij sleuren. Het kan maar op één ding uitdraaien: een ramp.'

'Je baas schijnt er anders over te denken.'

'Het maakt niet uit wat hij denkt. Hij heeft te doen wat zij zegt. En hij neemt de schuld niet op zich, die schuift hij gewoon naar beneden door. Geloof me nou maar,' zegt Stump, 'maak dat je wegkomt, nu het nog kan.'

2

Lamont heeft haar herverkiezing van afgelopen najaar als excuus aangegrepen om alle leden van haar staf te ontslaan. Schone leien zijn een obsessie voor haar, zeker als het op mensen aankomt. Zodra ze hun doel hebben gediend, is het tijd voor verandering of, zoals zij het noemt, een *herleving* uit iets wat niet langer levenskrachtig is.

Hoewel ze geen energie wil verspillen aan zelfbezinning, is ze zich er diep in haar binnenste van bewust dat haar onvermogen relaties op de lange termijn te onderhouden, haar slechte diensten zou kunnen bewijzen naarmate ze ouder wordt. Haar vader was bijvoorbeeld buitengewoon geslaagd, aantrekkelijk en charmant, maar hij is vorig jaar moederziel alleen in Parijs overleden en zijn lichaam is pas na dagen gevonden. Toen Lamont zijn bezittingen doornam, vond ze verjaardags- en kerstcadeautjes van jaren die hij nooit had uitgepakt, waaronder een aantal dure glasobjecten van haar. Wat verklaarde waarom hij nooit de moeite had genomen zijn secretaresse te laten opbellen of haar een bedankbriefje te dicteren.

Het gerechtsgebouw van het arrondissement Middlesex is een wolkenkrabber van baksteen en beton in het saaie, van misdaad vergeven hart van het overheidscentrum van Cambridge, en Lamont zit op de eerste verdieping. Wanneer ze uit de lift komt en de dichte deur van de recherche-eenheid ziet, draait haar innerlijke barometer naar bewolkt. Win zit niet meer op zijn werkplek, en god mag weten hoe lang hij al weg is. Door zijn overplaatsing naar Watertown zal het lastig voor haar worden hem te laten opdraven op elk moment dat zij daar zin in heeft.

'Wat is er?' vraagt ze als ze haar publiciteitsman, Mick, op de bank in haar hoekkantoor ziet zitten, met zijn telefoon aan zijn oor.

Ze maakt haar gebruikelijke gebaar alsof ze haar keel doorsnijdt ten teken dat hij het gesprek onmiddellijk moet afkappen, wat hij doet.

'Zeg nou niet dat er een probleem is. Ik ben niet in de stemming voor problemen,' zegt ze.

'We hebben een klein probleempje,' zegt Mick, die de baan net heeft, maar veelbelovend lijkt.

Hij is knap en gesoigneerd, je kunt met hem voor de dag komen, en hij doet wat je zegt. Lamont zet zich achter haar glazen bureau in haar kantoor vol glas. Haar ijspaleis, zoals Win het noemt.

'Als het een kléín probleempje is, zat je hier niet te wachten om me te bespringen zodra ik binnenkom,' zegt ze.

'Neem me niet kwalijk. Ik zal niet zeggen: had ik het niet gezegd...'

'Dat heb je nu gedaan.'

'Ik heb heel duidelijk laten merken wat ik van dat journalistenvriendje van jou vind.'

Hij heeft het over Cal Tradd. Lamont wil het niet horen.

'Laat me een manier bedenken om dit tactvol te brengen,' zegt Mick.

Ze is niet snel van haar stuk gebracht, maar ze herkent

de signalen. Kramp op de borst, een ijzige adem in haar
nek, een onderbreking van het gewone, gestage ritme van
haar hart.
'Wat heeft hij tegen je gezegd?' vraagt ze.
'Ik maak me meer zorgen om wat jij tegen hem hebt ge-
zegd. Heb je hem op de een of andere manier wraaklus-
tig gemaakt?' zegt Mick botweg.
'Waar heb je het in godsnaam over?'
'Misschien voelt hij zich door jou gepasseerd. Bijvoorbeeld omdat je dat voorpaginaverhaal vorige maand aan
de *Globe* hebt gegeven in plaats van aan hem.'
'Waarom zou ik hem iets voor een voorpagina geven?
Hij werkt voor een studentenkrantje.'
'Nou, kun je dan een andere reden bedenken waarom
hij je terug zou willen pakken?'
'Daar lijken mensen nooit een reden voor nodig te heb-
ben.'
'YouTube. Het staat er nog maar een paar uur op. Ik
weet eerlijk gezegd niet wat we eraan moeten doen.'
'Waaraan? En het is jouw werk altijd te weten wat je eraan moet doen, wat het ook is,' geeft ze hem lik op stuk.
Mick komt van de bank, loopt naar haar toe, eist haar
computer op en gaat naar YouTube.
Een clipje.
Begeleid door 'You're So Vain' van Carly Simon loopt
Lamont een wc-ruimte in, blijft bij een wastafel staan en
maakt haar handtas van struisvogelleer open. Ze werkt
haar make-up bij, en terwijl ze zich opdoft, bestudeert
ze haar gezicht en figuur van alle kanten en experimen-
teert ze met de knoopjes van haar blouse: welke open,
welke dicht. Ze stroopt haar rok op en frunnikt aan haar
panty. Ze doet haar mond wijd open en inspecteert haar

tanden. Een voice-over uit haar eigen herverkiezingscampagne declameert: 'De misdaad met hand en tand te lijf. Monique Lamont, officier van justitie van Middlesex.'

Aan het eind van de clip klikken er geen handboeien dicht, zoals in het campagnespotje, maar Lamonts tanden in de spiegel.

'Begin je daarom over Cal?' Snijdend. 'Neem je voetstoots aan dat hij de schuldige is? Op grond waarvan?'

'Hij volgt je op de voet, hij stalkt je zo ongeveer. Hij is onvolwassen. Dit is echt een studentenstreek...'

'Sterke argumenten,' zegt ze sarcastisch. 'Het is maar goed dat ik de aanklager ben, en niet jij.'

Mick kijkt haar met grote ogen aan. 'Spring je voor hem in de bres?'

'Hij kan er met geen mogelijkheid achter zitten,' zegt Lamont. 'Degene die dit heeft opgenomen, moet op de dames-wc zijn geweest. Het was dus een vrouw.'

'En het zou een koud kunstje voor hem zijn om voor een meid door te gaan...'

'Mick... Hij volgt me als een hondje, hij heeft de hele tijd om me heen gehangen op de School of Government. Hij had geen tijd om opeens travo te worden of zich op de dames-wc te verstoppen.'

'Ik wist niet...'

'Natuurlijk niet, je was er niet bij. Maar je hebt gelijk: het eerste agendapunt is altijd uitzoeken wie me heeft verraden.' Ze ijsbeert. 'Waarschijnlijk heeft een studente in een cabine me door een kier in de deur gezien en al die kul met haar mobieltje opgenomen. Die tol betaal je als publieke figuur. Geen mens zal het serieus nemen.'

Mick kijkt haar aan alsof ze van een plank aan gruzelementen is gevallen, als een van haar glazen objecten.

'Bovendien,' vervolgt ze, 'gaat het er maar om of je er goed uitziet. En ik kan tot mijn genoegen zeggen dat dat het geval is.' Ze speelt de clip nog eens af, gerustgesteld door haar exotisch mooie gezicht en volmaakte gebit, haar welgevormde benen en benijdenswaardige boezem. 'Noteer dat maar, Mick. Zo werkt het in de wereld.'

'Niet echt,' zegt hij. 'De gouverneur heeft gebeld.'

Ze blijft stokstijf staan. De gouverneur heeft nog nooit gebeld.

'Over YouTube,' vervolgt Mick. 'Hij wil weten wie er achter zit.'

'Even zien. Ik moet het ergens opgeschreven hebben.'

'Nou, wie het ook heeft gedaan, het is een blamage. En als jij slecht overkomt, komt hij slecht over, want hij is degene die...'

'Wat zei hij precies?' valt ze hem in de rede.

'Ik heb hem niet zelf aan de lijn gehad.'

'Natuurlijk heb je hem niet zelf aan de lijn gehad.' Ze begint weer driftig te ijsberen. 'Niemand krijgt hem rechtstreeks te spreken.'

'Zelfs jij niet.' Alsof ze dat zelf niet weet. 'En dat na alles wat je voor hem hebt gedaan,' voegt Mick eraan toe. 'Je hebt hem nog niet één keer gezien, hij belt je nooit terug...'

'Dit zou onze kans kunnen zijn,' onderbreekt ze hem weer. Haar gedachten flitsen als biljartballen over het laken en klikken in de pockets. 'Ja. Absoluut. Succes is de beste wraak, dus wat doen we? We geven dat YouTube-debacle een draai in mijn voordeel. Mijn kans om bij Zijne Hoogheid op audiëntie te komen en zijn steun te verwerven voor mijn nieuwe initiatief om de misdaad te bestrijden. Als hij hoort wat het hem kan opleveren, zal hij wel belangstelling tonen.'

Ze draagt Mick op de stafchef van de gouverneur te bellen. Nu. Ze moet dringend met gouverneur Howard Mather overleggen. Mick oppert dat ze misschien zal moeten 'kruipen' en ze geeft hem te verstaan dat hij dat woord nooit mag gebruiken, tenzij het op iemand anders slaat. Anderzijds, geeft ze toe, zou het wel indruk maken als ze Mather eindelijk als haar mentor erkende. Ze heeft zijn advies zogenaamd hard nodig. Ze is van het ene moment op het andere in een pr-nachtmerrie beland. Ze is bang dat het hem ook in diskrediet zal brengen en weet zich geen raad. Et cetera.

'Die verleiding zal hij moeilijk kunnen weerstaan,' besluit ze.

'Maar anders? Wat moet ik dan?'

'Vraag me niet telkens jouw werk op te knappen!' valt ze uit.

In een heel ander deel van Cambridge staat het vervallen, met hout afgewerkte huis waar Win is opgevoed door zijn grootmoeder. Haar tuin, die is overwoekerd door klimop, bloeiende struiken en bomen, is een woonwijk geworden voor vogels en vleermuizen, met huisjes en voedertafels.

Zijn motor hotst en slipt over de voren in de ongeplaveide oprit. Hij zet hem naast oma's stokoude Buick. Als hij zijn helm afzet, vullen zijn oren zich met de feeërieke muziek van windorgels die in beweging worden gebracht door de bries, alsof er elfjes op de takken van de bomen en de balken van oma's huis zijn neergestreken die er niet meer weg willen. Oma zegt dat ze slechte entiteiten en kwelgeesten verdrijven, een categorie waartoe de buren ook behoren, vindt Win. Egoïstisch, bekrompen en onbeschoft. Ze ruziën over het parkeren op de gedeelde inrit en houden argwanend de gestage stroom mensen in de gaten die oma bezoekt.

Hij maakt de kofferbak van de oude Buick open, die oma natuurlijk niet heeft afgesloten, legt zijn motorspullen erin, doet de achterdeur van het huis open en stapt over de grenslijn van koosjer zout op de vloer. Oma zit in de keuken, druk bezig laurierbladeren te lamineren met brede stroken doorzichtig plakband, met een klassieke-muziekzender op de tv. Miss Dog, die doof en blind en in feite gejat is, want Win heeft haar ontvoerd bij haar baasje, dat haar mishandelde, ligt onder de tafel te snurken. Hij zet eerst zijn sporttas op het aanrecht, dan een rugzak met boodschappen, en dan buigt hij zich naar oma toe, geeft haar een zoen op haar wang en zegt: 'Je auto was weer eens niet afgesloten. Je deur was niet op slot en je alarm is uitgeschakeld.'

'Mijn lieve jongen.' Haar ogen stralen onder haar lange, sneeuwwitte haar, dat in een knot boven op haar hoofd is gespeld. 'Hoe was je dag?'

Terwijl hij de boodschappen in de koelkast en de keukenkastjes opbergt, zegt hij: 'Met laurierbladeren hou je de inbrekers niet tegen. Daar heb je een alarmsysteem en goede sloten voor. Zeg dat je tenminste de boel afsluit en het alarm inschakelt voordat je naar bed gaat.'

'Niemand maalt om een oude vrouw die niets heeft wat de moeite van het stelen waard is. Bovendien heb ik alle bescherming die ik nodig heb.'

Hij weet dat het geen zin heeft door te zeuren, hij zucht, gaat op een stoel zitten en legt zijn handen op zijn schoot.

Op tafel is er geen plaats voor: het blad gaat zo ongeveer schuil onder de kristallen, kaarsen, beeldjes, iconen, talismannen en amuletten. Ze reikt hem twee grote gelamineerde laurierbladeren aan met een hand met zilveren ringen om elke vinger en rinkelende armbanden tot aan de elleboog.

'Stop die maar in je laarzen, lieverd,' zegt ze. 'Een links en een rechts. Doe nou niet net zoals de vorige keer.'

'Wat zou ik toen hebben gedaan?' Hij stopt de gelamineerde bladeren heimelijk in zijn zak.

'Toen heb je ze niet in je schoenen gestopt, en wat heeft de Huls toen gedaan?'

Zo noemt ze Lamont. Een lege huls waar niets in zit.

'Toen gaf ze je een vreselijke klus. Een gevaarlijke klus,' zegt oma. 'Laurier is het kruid van Apollo. Als je het in je schoenen stopt, of in je laarzen, sta je op de overwinning. Zorg dat de punt naar je tenen wijst en het steeltje naar je hiel.'

'Ja, goh, ik heb net weer een vreselijke klus gekregen.'

'Een en al leugens,' zegt oma. 'Pas op wat je doet, want het gaat om iets anders dan ze zegt.'

'Ik weet waar het om gaat. Ambitie. Egoïsme. Hypocrisie. IJdelheid. Mij kwellen.'

Oma knipt weer een stuk plakband af. 'Ik zoek gerechtigheid in woorden, daden en gedachten. Ik zie een draaiend bord en rubbersporen op asfalt. Slipsporen. Wat betekent dat?'

Hij denkt aan Stumps motorongeluk en zegt: 'Geen idee.'

'Pas heel goed op, schattebout. Zeker op je motor. Reed je maar niet op dat ding.' Ze lamineert nog een laurierblad.

Toen de benzineprijs op tachtig cent per liter kwam, heeft

hij zijn Hummer verruild voor de Ducati. En toen, o, wat een toeval: ongeveer een week later kwam Lamont met een nieuw beleidsvoorschrift: alleen haar rechercheurs die dienst hadden, mochten privé in hun auto van de staatspolitie rijden.

'Vanavond krijg je in elk geval je zin, want ik moet je oude slagschip vol laten gooien,' zegt hij tegen oma. 'Ik breng het morgen terug. Al zou je niet meer achter het stuur mogen zitten.'

Aangezien hij haar niet kan tegenhouden, zorgt hij dat ze tenminste niet ergens langs de kant van de weg komt te staan. Oma heeft de neiging de alledaagse werkelijkheid te vergeten en dus niet op tijd te tanken of het oliepeil te controleren, ervoor te zorgen dat haar rijbewijs in het handschoenenkastje ligt, dat ze haar deuren op slot doet, boodschappen haalt en rekeningen betaalt. Dat soort kleinigheden.

'Je krijgt je kleren schoon en fris terug, zoals altijd, schattebout.' Ze knikt naar zijn sporttas op het aanrecht. 'Wat je huid beroert, de tover vervoert.'

Nog zo'n ritueeltje van haar dat hij haar gunt. Ze staat erop zijn sportkleren met de hand in een sopje naar eigen recept te wassen, waarna ze naar kruidentuin ruiken, en dan stopt ze ze, in wit vloeipapier verpakt, weer in zijn sporttas. Een dagelijkse ruil. Het zou iets met het uitwisselen van energie te maken hebben. Hij zweet de negativiteit uit en absorbeert de kruiden van de goden. Als zij maar blij is. Wat hij allemaal niet doet zonder dat iemand het weet.

Miss Dog beweegt en legt haar kop op zijn voet. Oma legt een blad midden op een reep plakband. Ze reikt naar een luciferdoos, steekt een kaars met de aartsengel Michaël erop in een kleurige glazen houder aan en zegt: 'Iemand port met een stok en iemand zal de prijs betalen. Een heel hoge prijs.'

'Met een stok in iets porren is voor haar aan de orde van de dag,' zegt hij.

'Niet de Huls. Iemand anders. Een niet-mens.'

Oma heeft het niet over een dier of een steen. Niet-mensen zijn gevaarlijke wezens, niet in staat liefde of berouw te voelen. Anders gezegd: psychopaten.

'Er schiet me meteen iemand te binnen,' zegt Win.

'Nee.' Oma schudt haar hoofd. 'Maar ze is in gevaar.'

Hij steekt zijn arm uit, plukt oma's autosleutels uit de uitgestrekte hand van een Egyptisch beeldje en zegt: 'Zonder gevaar zou ze zich maar vervelen.'

'Lieverd, je komt dit huis niet uit voordat je die laurierblaadjes in je schoenen hebt gestopt.'

Hij trekt zijn motorlaarzen uit, legt de laurierblaadjes erin en zorgt dat ze de goede kant op wijzen, op instructie van de maakster.

'Dit is de dag van de godin Diana, die over zilver en koper heerst,' zegt oma. 'Koper is het oude metaal van de maan. Het geleidt net zo goed spirituele energie als warmte en elektriciteit. Maar wees op je hoede. Het wordt ook door slechte mensen gebruikt om bedrog te geleiden. Daarom wordt het tegenwoordig om de haverklap gestolen, omdat de leugen regeert. De duistere geest van de boosaardigheid en de leugens domineert onze planeet nu.'

'Je hebt te veel naar het financiële nieuws van Lou Dobbs gekeken.'

'Ik ben gek op die man! De waarheid is je wapenrusting, schattebout.' Ze diept een leren buideltje op uit de zak van haar lange rok en legt het in Wins hand. 'En dit is je zwaard.'

Hij maakt het koordje los en ziet een blinkende nieuwe penny en een klein kristal.

'Draag ze altijd bij je,' zegt ze. 'Samen vormen ze een kristallen toverstaf.'

'Super,' zegt hij. 'Misschien kan ik Lamont in een kikker veranderen.'

Niet lang na Wins vertrek loopt oma met een pak koosjer zout naar de badkamer boven, waar achthoekige spiegels in de hoeken hangen om negatieve energie terug te kaatsen naar de zender.

Kwaad naar hier gezonden
Keer terug naar uwe bronnen!

Ze gaat nooit onrein naar bed, want dan zou het onaangename van de dag zich in haar droom kunnen voortzetten. Ongedurigheid. Ze voelt de aanwezigheid van de niet-mens. Een kinderlijke niet-mens vol streken en gemeenheid, wrok en trots. Ze strooit zout op de vloer van de douche, zet de kraan open en declameert nog een bezwering.

Zakkende zon en rijzende maan,
Mijn heilig werk is nooit gedaan.
Licht en lucht zijn voor mij één.
Strijder der gerechtigheid, kom nu hierheen!

Het zout onder haar voeten trekt de slechte energie uit haar en neemt het mee de afvoer in, en ze besluit haar

douche met een kruidenbrouwsel van peterselie, salie, ro-
zemarijn en tijm dat ze die ochtend in een gietijzeren pan
heeft gekookt. Ze schenkt het geurige aftreksel over haar
hoofd om haar aura te zuiveren, want door haar werk
komt ze in aanraking met veel persoonlijkheden, die niet
allemaal goed zijn, en deze zeker niet. De niet-mens. Een
ronddolend jonkie dat nu dichtbij is en iets van oma wil
hebben, iets wat haar heel dierbaar is.
'Mijn machtigste toverinstrument is mijn wezen,' zegt ze
hardop. 'Ik knijp je tussen mijn twee vingers fijn!' waarschuwt ze.
In haar slaapkamer trekt ze een la open, haalt er een
roodzijden zakje vol ijzeren spijkers uit en stopt het in
de linkerzak van haar schone witte ochtendjas. Dan gaat
ze naast Miss Dog op het bed zitten en schrijft bij het
licht van witte kaarsen in haar dagboek. Ze noteert haar
gewoonlijke overpeinzingen over *Toverije* en *Bezweringen* en het *Werk van de Magiër.* Het is een dik, in Italiaans leer gebonden boek, en ze heeft deze bladzijden en
die van veel andere dagboeken in de loop van vele jaren
beschreven met haar grote handschrift met ronde lussen.
Dan wordt ze overmand door zware vermoeidheid en
blaast de kaarsen uit. Ze is al met één voet in dromen-
land wanneer ze recht overeind schiet in het donker. Ze
pakt het zakje spijkers uit de zak van haar ochtendjas en
rammelt er hard mee.
Miss Dog, die doof is en ligt te ronken, verroert zich niet.
Beneden, op de houten vloer in de gang tussen de keuken en de woonkamer, klinken voetstappen.
Oma springt uit bed, rammelt weer met de spijkers en
stormt de slaapkamer uit.
'Ik zal je straffen met de regel van drie maal drie!' roept
ze.

Snelle voetstappen: *stamp-stamp-stamp-stamp-stamp*. De keukendeur slaat dicht. Oma kijkt door het raam en ziet een schimmige gedaante met iets wegrennen. Ze haast zich de trap af en naar buiten, en dwaalt door haar overwoekerde tuin waar de windorgels rinkelen en kletteren, geagiteerd en boos. Ze voelt de leegte van wat er net is geweest. Dan het geluid van een auto en, aan het eind van de straat, achterlichten als de vuurrode ogen van de duivel.

3

Stump zit in het rijdende onderzoekslab van het FRONT. Ze onderzoekt het briefje van de bankoverval van die dag, zoekend naar iets, wat dan ook, en weer zonder succes.

Het zichtbaar maken van latente vingerafdrukken is niet zo eenvoudig als het in al die politieseries lijkt, en in de echte wereld moet deze bankrover zijn eerste bruikbare aanwijzing nog achterlaten. Als ze een auto hoort aankomen, legt ze het papier weg. Dan gaat haar mobiele telefoon.

'Met mij,' zegt Wins onweerstaanbare bariton. 'Geef je rondleidingen? Ik sta bij die patserige bus van je.'

Ze trekt haar latex handschoenen uit en maakt de achterklep open. Hij klimt de treden op en tuurt in het felle licht. Ze slaat de zware deuren achter hem dicht, mikt de gebruikte handschoenen in de afvalbak en rukt een nieuw paar uit de doos.

'Hoe wist je dat ik hier was?' vraagt ze.

'Je had een bankoverval vandaag, weet je nog?' Hij loopt naar het werkblad waaraan ze bezig is. 'En laat me even nadenken. Je was niet in je winkel, dus heb ik je meldkamer gebeld om te vragen waar ik je zou kunnen vinden.'

'Je gedraagt je aanstootgevend en arrogant, en ik vind het niet grappig.' Ze trekt de handschoenen aan, die niet meewerken.

'Wat heb je daar?'

Als er iets is waar ze de pest aan heeft, is het wel een vent die er zo volmaakt uitziet. Hij lijkt wel zo'n model uit een Calvin Klein-reclame en alsof dat nog niet irritant genoeg is, denkt hij ook nog eens dat hij charme genoeg heeft om de vogels uit de bomen te lokken. Nou, deze ouwe taaie vogel niet. Bovendien bewijst ze hem gewoon een dienst als ze hem wegstuurt.

'Wat ik hier heb? Niks,' zegt ze korzelig. 'Als ik niet beter wist, zou ik denken dat hij handschoenen aanhad.'

'Weet je dat zeker? Absoluut?' Hij komt dichterbij.

Ze kan hem ruiken. Een vleugje van een kruidige, mannelijke eau de cologne. Duur, waarschijnlijk, zoals al zijn spullen.

'Het zal wel een zware slag voor je zijn,' zegt Stump, 'maar ik weet hoe handschoenen eruitzien.' Ze spoelt de bewakingsvideo terug. 'Ga je gang.'

De glazen voordeur van de bank gaat open. Een blanke man, het zou ook een hispanic kunnen zijn, komt binnen. Hij gedraagt zich normaal, volkomen op zijn gemak. Hij heeft donker haar en hij draagt een wijde blauwe trainingsbroek, een zonnebril en een Red Sox-honkbalpetje dat hij diep over zijn voorhoofd heeft getrokken. Hij is snugger genoeg om te weten waar de camera's hangen en zijn gezicht ervan af te wenden. Er zijn geen andere cliënten. Er zijn drie loketten, en achter een ervan zit een jonge vrouw, die naar hem glimlacht terwijl hij op haar afloopt en haar het briefje toeschuift. Ze kijkt er ontdaan naar, maar raakt het niet aan. Ze prutst aan de geldla en vult een stortingszak. De man rent naar buiten.

'Ik wil zijn handen nog eens zien.' Win leunt naar het scherm over.

Stump spoelt terug en zet de opname even stil wanneer de overvaller het briefje onder het glas door schuift, zodat Win de handen goed kan zien. Ze voelt zijn nabijheid, alsof hij de lucht verwarmt.

'Geen handschoenen,' beaamt hij. 'Was dat de andere keren ook zo?'

'Tot nog toe wel.'

'Dat is vreemd.'

Hij kijkt lang naar het briefje van die ochtend, dat op schoon, vetvrij papier op het werkblad ligt, alsof hij een hele gedrukte pagina leest en niet de acht simpele woorden die de overvaller op elk briefje schrijft. GELDLA IN ZAK LEGEN. NU! IK BEN GEWAPEND.

Ze verklaart: 'Netjes geschreven, met potlood, op een wit vel A6-papier uit een schrijfblok. Net als in de andere drie zaken.'

'Watertown, Somerville en nu Belmont,' merkt Win op. 'Allemaal aangesloten bij het FRONT, in tegenstelling tot Cambridge, dat nog steeds geen lid is van je clubje, en…'

'En hoe zou dat komen, denk je?' valt ze hem in de rede. 'Lamont heeft haar hoofdkwartier in Cambridge en daar heeft ze haar eigen clubje, Harvard, dat zo'n beetje de baas is over Cambridge. Zou dat heel misschien een van de redenen kunnen zijn waarom Cambridge zich niet heeft aangesloten bij het FRONT en dat waarschijnlijk nooit zal doen ook?'

'Ik wilde eraan toevoegen dat je overvaller ook nog niet in Boston heeft toegeslagen,' zegt Win. 'Wat mij opvalt, is dat Watertown, Somerville en Belmont aan Cambridge grenzen. Boston is ook dichtbij. Er zijn onmiskenbaar veel banken in Cambridge, om nog maar te zwijgen van Boston, en toch heeft jouw overvaller beide plaatsen gemeden. Toeval?'

'Misschien komen die nog.' Ze heeft geen idee waar hij naartoe wil. 'In dat geval zal ondergetekende niet komen helpen, denk ik, want de korpsen van Cambridge en Boston doen hun eigen technisch onderzoek en analyseren hun aanwijzingen zelf.'

'Dat is een van de dingen waar ik naartoe wilde,' zegt Win. 'De politie van Boston heeft eigen labs, en eerlijk gezegd krijgt Cambridge voorrang bij de labs van de staatspolitie vanwege Lamont.'

'En Cambridge is geen lid van het FRONT en, "eerlijk gezegd", korpsen die zich bij ons aansluiten, krijgen dat op hun brood. We worden behandeld als landverraders.' Het komt er bot uit. Ze weet niet waarom hij het slechtste in haar naar boven lijkt te brengen.

'Als ik een slimme bankrover was,' vervolgt Win, 'zou ik banken beroven in plaatsen waar de politie weinig faciliteiten heeft en de analyse van de aanwijzingen een eeuwigheid gaat duren, als er al ooit iets van komt.'

'Nou, dat geldt voor het grootste deel van Middlesex. Wat bedoel je nou eigenlijk?'

'Ik bedoel dat je misschien eens moet nadenken over waar hij níét toeslaat in plaats van waar wel. Laten we aannemen dat hij Boston en Cambridge mijdt. Waarom dan? Misschien om de redenen die ik net heb genoemd. Of misschien omdat hij in Boston of Cambridge woont en bang is dat iemand hem herkent.'

'Nou, misschien ben jij het dan. Aangezien je dat leuke appartement in Cambridge hebt.'

'Wie zegt dat?'

'Als ik iemand op mijn radar krijg, trek ik hem na,' zegt Stump. 'Je leeft er in elk geval van als een bankrover.'

'Je weet totaal niet hoe ik leef. Dat denk je alleen maar.'

Ze wijst met een in latex gestoken vinger naar het brief-je en zegt: 'Dezelfde spelling en interpunctie, dezelfde blokletters.'

'Je kunt beter katoenen handschoenen dragen. Latex kan potlood en sommige soorten inkt uitsmeren. Komt dit vel uit hetzelfde schrijfblok?'

'Wauw, dus jij weet ook iets van doorgedrukt schrift.'

'Heb je de elektrostaat erop gezet?'

'God zal me kraken. Je weet ook al iets van elektro-statisch onderzoek. Je bent een eenmansdenktank. Als-of we een elektrostaat hebben, trouwens,' zegt ze geër-gerd. 'En als we bij jullie aankloppen? Nou, dan ko-men jullie er over een jaar of tien misschien eens aan toe. Hoe dan ook, het is met strijklicht ook gelukt. Op elk briefje waren doordrukken van het vorige te vin-den.'

'Hij wil ons laten weten dat hij het is,' zegt Win.

'Ons? Er is geen ons. Hoe vaak moet ik het nog zeggen? En probeer maar niet je in mijn leven te dringen, want het lukt je toch niet. Ik ga je niet helpen met je publici-teitsstunt.'

'Ik weet zeker dat Janie Brolin het niet zou waarderen dat je haar moordzaak als een publiciteitsstunt ziet.'

Ging hij maar weg, denkt Stump. Voor zijn eigen best-wil, verdomme.

Ze zegt: 'Waarom zou die bankrover ons, ik citeer, "wil-len laten weten dat hij het is"?'

'Misschien schept hij op. Misschien zoekt hij spanning, kickt hij erop.'

'Of misschien is hij gewoon puur stom en heeft hij niet door dat hij bij elk briefje doordruksporen op het vol-gende achterlaat,' zegt ze.

'Hoe zit het met latente afdrukken? Heb je iets op de andere drie briefjes gevonden?'

'Niets. Niet één vingerafdruk, godbetert, zelfs geen partiële.'

'Goed, dan is hij dus niet stom,' zegt Win. 'Anders zou hij er niet telkens mee wegkomen. Op klaarlichte dag. En geen vingerafdrukken. Zelfs geen partiële. Heb je het met ninhydrine geprobeerd?'

Ninhydrine is een goedkoop, beproefd reagens waarmee latente vingerafdrukken op papier en andere poreuze oppervlakken door middel van opdamping zichtbaar gemaakt kunnen worden. De chemische stof reageert op de aminozuren en andere componenten van talg en zweet die door de poriën worden uitgescheiden. Stump zegt tegen Win dat het op geen van de briefjes resultaat heeft opgeleverd, evenmin met verschillende lichtfrequenties en speciale filters.

'En de bankbediendes raken de briefjes niet aan,' zegt Win.

'Die laten ze gewoon liggen. Als puntje bij paaltje komt, hebben we niets. En tenzij die gast toverhandschoenen draagt die onzichtbaar zijn voor het blote oog, is er geen logische verklaring voor het feit dat hij geen spoor van zijn identiteit heeft achtergelaten op inmiddels vier briefjes. Zelfs in gevallen waarin er geen bruikbare papillairlijnen worden gevonden, laten mensen zonder handschoenen nog íéts achter. Een veeg van een vinger. Een gedeeltelijke afdruk van de zijkant of palm van de hand.'

'Zijn er bewakingsopnames van alle vier de berovingen?' vraagt Win.

'Hij heeft telkens iets anders aan, maar ik herken steeds dezelfde vent.'

'Mag ik je iets vragen?'

'Liever niet, denk ik.'

'Waarom ben je eerst docent geworden en er toen mee opgehouden?'

'Weet ik niet. Waarom heb jij een gouden horloge om? Heb je een rijke stinkerd niet op de bon geslingerd, hem laten lopen terwijl hij driehonderd reed in zijn Ferrari of zo? Of beroof je soms echt banken?'

'Het is van mijn vader geweest. Daarvoor was het van zijn vader en daarvoor van Napoleon – geintje, al hield die wel van Breguets,' zegt Win terwijl hij haar zijn horloge voorhoudt. 'Volgens de familielegende is het gestolen. Een paar van mijn geëerde voorouders uit Europa hadden auditie kunnen doen voor *The Sopranos*.'

'Je ziet er anders totaal niet Italiaans uit.'

'Mijn moeder was Italiaans. Mijn vader was zwart, en docent. Een dichter die college gaf aan Harvard. Ik vraag me altijd af waarom mensen les willen geven, en ik kom zelden iemand tegen die zich geroepen voelde, al die moeite deed en er toen de brui aan gaf.'

'Ik gaf les op een middelbare school. Ik heb het twee jaar volgehouden. Toen besloot ik dat ik de jeugd van tegenwoordig liever achter de tralies wilde zetten.' Ze trekt kastjes open en bergt flesjes chemicaliën, kwastpoeder, lichtbronnen en cameragerei op, met twee nerveuze linkerhanden. 'Heeft iemand je wel eens gezegd dat je niet moet staren? Het is onbeleefd. Jij staart nog erger dan een baby,' zegt ze terwijl ze het briefje van de bankovervaller in een envelop stopt. 'Ons laatste redmiddel zou een DNA-onderzoek zijn, maar volgens mij heeft het geen zin.'

'Als hij geen zweet achterlaat, laat hij vermoedelijk ook

geen DNA achter, tenzij hij sterk vervelt of op het papier niest,' zegt Win.

'Ja. Probeer het lab van de staatspolitie maar eens zo gek te krijgen dat ze daar hun tijd aan verspillen. Ik wacht nu al twee jaar op de uitslagen van dat meisje dat is verkracht op het knekelveld. Dat kerkhof bij Watertown High School. Het ging niet om knekels, maar om blowen. Ik wacht nu drie jaar op de uitslagen van die homo die in Cottage Street tot moes is geslagen. En dan heb ik het nog niet eens over al die inbraken bij kapsalons, wat er in Revere en Chelsea gebeurt, en ga zo maar door. Niemand neemt ook maar iets serieus, tot er links en rechts mensen worden vermoord,' zegt ze.

Ze stappen uit de bus op het plaatstaal met ruitpatroon; Stump trekt de hoge achterportieren dicht en sluit ze af. Win brengt haar naar haar Taurus, een burgerauto met doffe lak en veel butsen in de portieren. Zij stapt in en verwacht dat hij naar haar been zal staren, dat hij een stomme vraag zal stellen over hoe ze kan rijden met een kunstvoet, maar hij is in zichzelf gekeerd en lijkt haar niet eens te zien; hij kijkt naar het bakstenen politiebureau, oud, afgeleefd en veel te klein, zoals de meeste bureaus in Lamonts arrondissement. Er is geen werkruimte, geen geld, niets anders dan frustratie.

Ze start en zegt: 'Ik kom niet eens in de buurt van de zaak-Janie Brolin.'

'Doe maar wat je moet doen.'

'Nee, echt niet.'

Hij buigt zich naar haar open raam en zegt: 'Ik ga hem toch onderzoeken.'

Ze verstelt de ventilatie met een licht bevende hand en voelt de koele lucht in haar gezicht blazen. 'Lamont dit,

Lamont dat,' zegt ze. 'En jij springt in de houding en doet alles wat ze zegt. Lamont, Lamont, Lamont. Ze krijgt hoe dan ook wat ze wil en het pakt allemaal fantastisch voor haar uit.'

'Hoe kun je dat zeggen, na alles wat ze vorig jaar heeft doorstaan?' zegt Win.

'Dat is het probleem nou juist,' zegt Stump. 'Ze zal het je nooit vergeven dat je háár leven hebt gered, en ze zal je de rest van het jouwe blijven straffen. Omdat jij haar hebt gezien... Nou ja, laat maar.' Ze wil er niet aan denken wat hij die avond heeft gezien.

Terwijl ze wegrijdt, kijkt ze via de achteruitkijkspiegel naar hem en vraagt zich af hoe hij in godsnaam aan die roestbak van een Buick komt. Haar mobieltje gaat en haar hart springt op bij het idee dat hij het zou kunnen zijn.

Hij is het niet.

'Geregeld,' zegt speciaal agent McClure van de FBI.

'Moet ik het gaan vieren?' zegt Stump.

'Daar was ik al bang voor. Ik geloof dat wij maar weer eens een onderonsje moeten houden. Je begint hem te vertrouwen.'

'Ik mag hem niet eens,' zegt ze.

Om tien voor tien parkeert hij tegenover het gerechtsgebouw en ziet tot zijn verbazing dat Lamonts auto op de voor haar gereserveerde plek bij de achterdeur staat.

Dat heeft hij weer, dat ze heeft besloten over te werken, en het zou net iets voor haar zijn om aan te nemen dat het maar een smoes van hem is dat hij spullen uit zijn bureau wil pakken. Ze is zo ijdel dat ze ervan uit zal gaan dat hij in feite is gekomen om haar te zien, dat hij op de een of andere manier wist dat ze hier op dit uur nog zou zijn, dat de gedachte dat hij haar straks niet meer aan de andere kant van de gang heeft, ondraaglijk voor hem is. Wat nu? Hij moet dossiers van rechtszaken hebben, zijn aantekeningen, persoonlijke bezittingen. Het valt hem in dat het haar verdiende loon zou zijn als hij zijn hele werkplek leeghaalde en zij zich mocht afvragen of hij ooit nog wel terug zou komen. Net als hij zijn raam naar beneden draait, zoemt zijn iPhone. Oma. Voor de tweede keer in een uur. Deze keer neemt hij op. 'Meestal slaap je nu al,' zegt hij.

Zijn grootmoeder houdt er een vreemde dagindeling op na. Ze neemt haar bijgeloofdouche zodra het donker is, gaat naar bed, staat om een uur of twee, drie 's nachts weer op en fladdert dan als een nachtvlinder door het huis.

'De niet-mens heeft je wezen gestolen,' zegt ze. 'En we moeten snel zijn, schattebout.'

'Ze probeert het al jaren, maar ze heeft mijn wezen nog steeds niet aangeraakt,' zegt hij terwijl hij naar het gerechtsgebouw kijkt. De bovenste verdieping is verlicht. Het cellencomplex. Hij kan Lamont niet uit zijn hoofd zetten. 'Wees maar niet bang, oma. Mijn wezen is veilig voor haar.'

'Ik heb het over je sporttas.'

'Over mijn was hoef je ook niet in te zitten.' Hij laat zijn ongeduld niet blijken, want hij zou oma voor geen goud willen kwetsen. 'Ik kan morgen waarschijnlijk toch niet langskomen. Of heb je de auto nodig?'

'Ik was op de drempel van de slaap toen dat ding binnenkwam. Ik heb het weer weggestuurd. Je hebt je veel dieper in de nesten gewerkt dan je dacht,' zegt ze. 'Het

47

heeft je sporttas meegenomen om je wezen te stelen! Om je te dragen als een eigen huid!'

'Wacht even.' Hij richt zijn aandacht op het gesprek. 'Wil je zeggen dat iemand bij je heeft ingebroken om mijn sporttas te stelen?'

'Het ding is binnengekomen en heeft hem gepakt. Ik ben de tuin in gelopen, en toen de straat op, maar het reed weg voordat ik het in mijn tovercirkel kon vangen.'

'Wanneer was dat?'

'Het was net donker,' zegt ze.

'Ik kom naar je toe.'

'Nee, schattebout. Je kunt niets doen. Ik heb de deurknop gezuiverd, ik heb de keuken van onder tot boven van de kwade energie gezuiverd...'

'O, nee...'

'Al die onreine, kwade energie verdelgd! Je moet jezelf beschermen.'

Ze begint aan haar litanie van beschermingsrituelen. Koosjer zout en gelijkzijdige kruisen. Een pentagram om een foto van zichzelf trekken. Overal witte kaarsen. Achthoekige spiegels voor al zijn ramen. De telefoon bij zijn rechteroor houden, nooit bij het linker, want het rechter drijft de kwade energie uit, terwijl het linker die juist opzuigt. Ten slotte roept ze uit: 'Er gaat iets ergs gebeuren met degene die dit heeft gedaan!' En dan haar omalach, een hartelijk gekakel waarmee hij het gesprek beëindigt.

Ze is altijd al vreemd geweest, maar wanneer ze 'op haar bezem klimt', zoals hij het noemt, maakt ze hem bloednerveus. Haar aanvallen van voorgevoelens en helderziendheid, haar stortvloeden aan vervloekingen en bezweringen laten oude gevoelens van naderend onheil, wantrouwen en misschien zelfs verwijten bij hem herleven. Toveroma. Wat had hij eraan toen het ergste gebeurde wat hem ooit is overkomen? Al die beloftes over wat de toekomst in petto had. Hij kon overal naartoe, alles worden, de wereld lag aan zijn voeten. Zijn ouders wilden geen tweede kind omdat hij zo bijzonder was, hij was genoeg. Toen kwam die avond, en toveroma had het niet zien aankomen en kon er al helemaal geen toverstokje voor steken.

Die koude avond toen ze haar idolate kleinzoon meenam op een van haar geheime missies, en ze voelde in de verste verte niet aan dat er iets helemaal mis was. Hoe was dat mogelijk? Niet het zwakste voorgevoel, zelfs niet toen ze thuiskwamen, de voordeur opendeden en werden verwelkomd door de meest absolute stilte die hij ooit in zijn leven heeft ervaren. Hij dacht eerst nog dat het een spelletje was. Dat zijn ouders en zijn hond in de woonkamer maar deden alsof ze dood waren.

Daarna is hij nooit meer meegegaan met oma's geheime missies en heeft hij nooit meer behoefte gehad aan de mystieke begeleiding die zoveel andere mensen nodig schijnen te hebben. Zijn hele jeugd lang die stoet vreemden die het huis in en uit liepen. De ontroostbaren, de hulpelozen, radelozen, angstigen en zieken. Allemaal betaalden ze haar wat ze konden missen van wat ze maar te bieden hadden. Etenswaren, gereedschap, kleding, kunst, bloemen, groenten, klusjes, knipbeurten en zelfs medische zorg. Het deed er niet toe wat of hoe weinig ze gaven, maar het moest altijd iets zijn. Oma noemt het een 'gelijkwaardige uitwisseling van energie', haar geloof dat een onvolmaakte eb en vloed van geven en ontvangen de oorzaak is van alles wat er aan de wereld mankeert.

49

Het is zonder enige twijfel de kern van wat er mankeert aan de relatie tussen Win en Lamont. Er staat om de donder geen geven tegenover haar nemen. Hij kijkt naar haar zwarte Mercedes cabrio met hardtop, zo glanzend als vulkanisch glas, rond de honderdtwintigduizend dollar en hoezo tweedehands? Het maakt haar niet uit wat ze moet neertellen, ze is te trots om af te dingen of, nog waarschijnlijker, ze kickt erop de prijs op het kaartje te kunnen betalen, alles te kunnen betalen wat ze wil hebben. Hij stelt zich voor hoe dat moet zijn. Om advocaat, procureur, gouverneur of senator te zijn, geld te hebben en een bijzondere vrouw en kinderen die trots op hem zijn.

Het zal er nooit van komen.

Hij kon geen rechten studeren, geen bedrijfseconomie, geen enkel doctoraalprogramma volgen, aan welke universiteit dan ook, al had hij Kennedy of Clinton geheten. Hij kon niet eens naar een fatsoenlijke hogeschool en zijn inschrijfformulier voor Harvard is waarschijnlijk weggehoond, al was zijn vader er professor geweest. Maar goed dat zijn ouders er niet meer bij waren toen de decaan van de middelbare school opmerkte dat Win voor 'zo'n slimme jongen' de laagste score voor zijn toelatingsexamen had gehaald die hij ooit had gezien.

Plotseling komt Lamont gejaagd door de achterdeur van het gerechtsgebouw naar buiten, met haar koffertje en sleutels in de hand. Het draadloze oortje van haar mobiele telefoon knippert blauw. Win kan niet horen wat ze zegt, maar het is wel duidelijk dat ze een verhit debat voert. Ze stapt in haar Mercedes en scheurt hem voorbij zonder hem op te merken; waarom zou ze oma's auto ook herkennen? Hij heeft een vreemd gevoel en besluit haar te volgen. Hij houdt een paar auto's tussen hen in als ze door Broad Street rijden en via Memorial Drive langs de rivier de Charles terugrijden naar Harvard Square. In Brattle Street zet ze haar Mercedes op de inrit van een victoriaans herenhuis dat Win op zes, misschien acht miljoen dollar schat, vanwege de locatie en het perceeloppervlak. Er brandt geen licht in het huis, dat er onbewoond en slecht onderhouden uitziet, al is het gras gemaaid.

Win parkeert een paar straten verderop en pakt de zaklamp die hij altijd in oma's handschoenenvak heeft liggen. Hij loopt op een draf terug naar het huis. Het valt hem op dat het gazon en sommige struiken nat zijn. Het sprinklersysteem moet eerder die dag hebben gewerkt. Achter een gordijn is een zwak, licht flakkerend schijnsel te zien. Een kaars. Win loopt geluidloos door, uit het zicht. Hij verstijft wanneer hij een achterdeur open en dicht hoort gaan. Misschien is zij het, misschien iemand anders. Ze is niet alleen. Stilte. Al wachtend overweegt hij het huis binnen te stormen om te zien of alles goed is met Lamont, want de situatie komt hem akelig bekend voor. Een jaar geleden. Haar deur op een kier, het benzineblik in de struiken, en toen wat hij boven aantrof. Het had haar dood kunnen worden. Sommige mensen zeggen dat wat haar is overkomen, erger is dan de dood.

Hij blijft wachten. Het huis is donker en er komt geen enkel geluid uit. Er gaat een uur voorbij. Net wanneer hij iets wil doen, hoort hij de achterdeur in het slot vallen en dan voetstappen. Hij duikt achter een hoge heg en ziet een donkere gedaante in Lamont veranderen, die alleen naar haar auto loopt. Ze heeft iets bij zich. Ze maakt het portier aan de passagierskant open en het binnenlicht floept aan. Zo te zien is het slordig opgevouwen linnengoed. Ze gooit het op de stoel en rijdt weg. Van degene die ze in het huis heeft ontmoet, is geen spoor te bekennen. Bizarre gedachten buitelen door Wins hoofd. Ze is betrokken bij iets illegaals. Drugs. Georganiseerde misdaad. Haar winkeluitspattingen van de laatste tijd – misschien neemt ze smeergeld aan. Zijn nieuwe opdracht – misschien zit er meer achter dan weer een politieke schijnvertoning van haar kant. Misschien is er een reden waarom ze hem niet op haar kantoor wil hebben, hem weg wil hebben.

Hij blijft nog een tijdje achter de heg staan en loopt dan om het huis heen. Het licht van de zaklamp schijnt fel op de beschadigde gevelbekleding, waar zo te zien met geweld regenpijpen zijn verwijderd, en op de rand van het dak, die ook beschadigd is en ontdaan van goten. Het licht beschijnt koper met een groen patina, wat doet vermoeden dat de ontbrekende regenpijpen en dakgoten van oud, geoxideerd koper waren. Door een raam naast de achterdeur ziet hij het bedieningspaneel van een inbraakalarm. Het lichtje is groen: niet ingeschakeld. Hij slaat een raampje stuk met de zaklamp, steekt behoedzaam zijn hand erdoor om zich niet te snijden en maakt de deur open. Hij kijkt naar het bedieningspaneel. Verouderd, buiten werking, met een groen lampje dat alleen aangeeft dat er stroom op staat. Het ruikt muf in de overhoopgehaalde keuken, waar de apparatuur uit is gerukt. De vloer ligt bezaaid met doffe koperen onderdelen.

Hij loopt in de richting van de kamer waar Lamont volgens hem is geweest. De lichtbundel van de zaklamp glijdt over de stoffige houten vloer. Overal sporen van schoenen, sommige goed zichtbaar, mogelijk van mensen die over nat gras hebben gelopen voordat ze naar binnen gingen. Hij bukt zich om van dichtbij naar wat sporen zonder profiel te kijken, de bekende traanvorm die wordt achtergelaten door schoenen met hoge hakken. Van Lamont. Hij ziet andere afdrukken. Groter, met een ronde neus, een ruitjespatroon in de zool en een onmiskenbare streep in de hak. Prada of een imitatie. Even vraagt hij zich confuus af of het zijn eigen sporen zijn. Onmogelijk. Om te beginnen loopt hij nog op zijn motorlaarzen. Het dringt tot hem door dat hij zijn Pradaschoenen is vergeten, ze in zijn sporttas heeft laten zitten die nu, volgens oma, griezelig genoeg is gestolen.

Er zijn meer sporen van schoenen, ongeveer even groot maar met een ander profiel, misschien van hardloopschoenen, wandelschoenen, misschien door verschillende mensen achtergelaten. Het kan ook dat dezelfde twee mensen hier verschillende keren zijn geweest, niet altijd met dezelfde schoenen aan. Bij het strijklicht van de zaklamp maakt hij foto's vanuit drie verschillende hoeken met zijn iPhone, met een 9 mm-patroon uit zijn pistool als schaalaanduiding. Hij schat dat de Prada of Prada-achtige schoenen maat 42 hebben, ongeveer zijn eigen maat. Hij kijkt nog eens om zich heen. De lichtbundel valt op barokke armaturen, lofwerk, kroonlijsten en gietstukken, vermoedelijk origineel. Hij vindt de kamer die hij zoekt, die in een ver verleden een salon lijkt te zijn geweest.

Overal schoensporen, sommige dezelfde als die in andere delen van het huis, en midden op de vloer een kale matras met daarnaast een dikke kaars waarvan de was rond de lont nog vloeibaar en warm is, en een ongeopende fles rode wijn, een Wolf Hill pinot noir 2002, dezelfde pinot en zelfs van hetzelfde jaar als de fles die Stump hem eerder die dag in Pittinelli's heeft gegeven. Dezelfde pinot, hetzelfde jaar als de fles die hij per ongeluk samen met zijn Prada-schoenen in zijn sporttas heeft laten zitten.

Hij neemt meer foto's, loopt terug naar de keuken en ziet iets op het aanrecht wat hem vreemd voorkomt: het gescheurde karton en plastic van de verpakking van een wegwerpcamera, de Solo H_2O met flits. Het zou kunnen dat een taxateur van de verzekering foto's van de schade aan het huis heeft gemaakt, maar het is niet echt professioneel om dat met een wegwerpcamera te doen. Win rommelt in kastjes en vindt een oude stoofpot en twee aluminium bakken. Hij legt de fles wijn in de pot, de kaars in de ene bak en de verpakking van de camera in de andere. Hij pakt ze zo beet dat hij geen mogelijke vingerafdrukken kan wissen. Dan schijnt hij nog een laatste keer om zich heen met de zaklamp en ziet een raam dat niet is afgesloten en sporen in het stof aan weerszijden van het glas. Hij maakt er foto's van bij strijklicht, maar ziet geen papillairsporen, alleen vegen. Er zijn veel verfbladders van de vensterbank en het raamkozijn buiten gevallen, mogelijk doordat iemand het raam van buitenaf heeft opengemaakt en erdoor is geklommen.

Stump klinkt afwezig als ze opneemt. Als ze beseft dat hij het is, reageert ze verrast.

'Had ik niet duidelijk gezegd dat je er alleen voor staat?' zegt ze gebiedend, alsof ze hem zou kunnen arresteren.

'De Wolf Hill pinot noir 2002,' zegt hij.

'Bel je me op dit uur om me te vertellen wat je van de wijn vindt?'

'Je zei dat je hem net binnen had gekregen. Heeft er al iemand een fles gekocht? Zijn er hier meer winkels die hem verkopen?'

'Hoezo?'

Ze klinkt anders, alsof ze niet alleen is. Er rinkelt een alarmbelletje in zijn hoofd. Let op je woorden.

'Ik wil scherp inkopen.' Hij denkt snel na. 'Ik heb hem thuis ontkurkt. Ongelooflijk. Ik wilde een doos kopen.'

'Jij durft wel, hè?'

'Ik zat dus te chillen en toen kwam ik op een idee. Misschien moet je die wijn samen met mij proeven,' zegt hij. 'Bij mij thuis. Mijn kalfskoteletten zijn ongelooflijk.'

'Ik eet geen jonge kalfjes,' zegt ze. 'En ik hoef niet bij jou te eten.'

4

De motor van oma's Buick slaat rochelend af. De auto schudt na en het portier gaat krijsend als een prehistorische vogel open.

Win stopt de sleutel in zijn zak en vraagt zich af waarom zijn huisbaas Farouk op het stoepje achter het huis een sigaret zit op te steken. Sinds wanneer rookt hij, en hij overtreedt zijn eigen regel. Niet roken, geen lucifers of barbecues aansteken, nog geen vonkje is toegestaan op het terrein van zijn negentiende-eeuwse stenen appartementencomplex, een voormalige school, onberispelijk onderhouden en verhuurd aan bevoorrechte mensen of, in Wins geval, aan iemand die werkt voor zijn onderdak. Het is na twaalven.

'Of je hebt zojuist een smerige nieuwe gewoonte opgepakt, of er is iets aan de hand,' zegt Win.

'Er is een lelijke *chimeid* voor je langs geweest,' zegt Farouk, die op een theedoek zit, vermoedelijk om zijn slecht zittende witte pak niet vies te maken.

'Noemde zij zich mijn chimeid?' vraagt Win. 'Of noem jij haar zo?'

'Dat zei ze zelf, ik niet. Ik weet niet eens wat het is.'

'Het is straattaal voor vriendin,' zegt Win.

'Zie je wel! Ik wist wel dat ze bij een bende zat! Daarom ben ik zo van streek! Zulke mensen wil ik hier niet hebben, ik doe mijn uiterste best om het hier netjes te houden,' zegt hij met zijn zware accent. 'Die mensen die jij door je werk tegenkomt, als ze hier ook komen, moet ik je vragen weg te gaan! Mijn huurders gaan klagen en dan raak ik ze kwijt!'

'Rustig, Farouk...'

'Nee! Ik laat jou hier voor een ongelooflijk laag prijsje wonen om me tegen slechte mensen te beschermen en dan komen ze hier, juist die mensen die jij uit de buurt moet houden!' Hij wijst met een priemende vinger naar Win. 'Maar goed dat verder niemand haar heeft gezien! Ik ben helemaal van streek. Er komen hier zulke mensen, en jij laat me in de steek. Je moet hier weg.'

'Hoe zag ze eruit? En vertel eens precies wat er is gebeurd.' Win gaat naast Farouk zitten.

'Ik kom thuis na het eten en die blanke meid duikt als een spook uit het niets op...'

'Waar? Hier, achter het huis? Zat je hier te roken toen ze kwam?'

'Ik was helemaal van streek, dus ging ik naar José aan de overkant om een biertje te drinken en te vragen of hij iets van die meid wist, of hij haar ooit had gezien, en hij zei van niet. Hij heeft me een paar sigaretten gegeven. Ik rook alleen als ik over mijn toeren ben, hoor. Ik wil niet dat je hier weg moet, hoor.'

Win doet nog een poging. 'Hoe laat was het toen ze kwam, en waar was jij toen? In je eigen huis?'

'Ik kwam terug van een etentje, dus het was een uur of negen, denk ik, en je weet dat ik altijd achterom loop, en toen ik deze treden op liep, was ze er opeens, als een spook uit een film. Alsof ze op me had gewacht. Ik had haar nog nooit gezien en ik had geen idee. "Waar is de politieman?" zegt ze. "Wat voor politieman?" zeg ik. "Geronimo," zegt ze.'

'Zei ze dat?' Er zijn niet veel mensen die zijn bijnaam kennen, en het zijn voornamelijk politiemensen.

'Ik zweer het,' zegt Farouk.

'Hoe zag ze eruit?'

'Het is hier donker, weet je. Ik zou verlichting moeten nemen. Een muts op, een wijde broek, klein. Mager.'

'Waarom denk je dat ze bij een bende zit? Afgezien van het feit dat ik je heb uitgelegd wat een chimeid is?'

'Hoe ze praatte. Als een zwarte, al was ze blank. Heel grove taal, straattaal, ze gebruikte veel lelijke woorden.' Hij noemt er een paar. 'En toen ik zei dat ik geen politieman kende die Geronimo heette, want ik dek je altijd, schold ze me nog even uit en zei dat ze wist dat je hier woont, en toen gaf ze me dit.' Hij haalt een envelop uit de zak van zijn colbert.

'Hoe vaak moet ik nog tegen je zeggen dat je met je vingers van verdachte dingen af moet blijven?' zegt Win. 'Daarom moest ik een paar jaar geleden je vingerafdrukken nemen, weet je nog? Omdat je iets had aangeraakt wat een gek hier voor me had afgegeven?'

'Ik ben niet zo'n *seesie* van de tv.'

Farouk, die hopeloos is met afkortingen, denkt dat je CSI uitspreekt als 'seesie'. Hij denkt dat DNA D&A is, een test op drugs- en alcoholgebruik.

'Je kunt vingerafdrukken en andere sporen op papier vinden,' frist Win zijn geheugen op, al weet hij dat het geen zin heeft. Farouk zal het nooit onthouden, het kan hem niet schelen.

Het is zeker niet de eerste keer dat iemand ongevraagd een boodschap achterlaat of domweg onuitgenodigd komt opdagen. Dat Win hier al zo lang woont, heeft het nadeel dat hij zijn adres met geen mogelijkheid geheim kan houden, maar meestal vormen de onverwachte gasten geen bedreiging. Soms een vrouw die hij ergens heeft ontmoet. Af en toe vraagt iemand die iets over een zaak heeft gelezen, iets heeft gezien of iets weet, net zo lang door tot hij of zij Wins adres krijgt. Vaker gaat het om paranoïde zielen die politiebescherming willen. Ja, mensen geven briefjes voor hem af en zelfs vermeend bewijsmateriaal, maar Win heeft Farouk nog nooit zo overstuur gezien.

Win pakt de envelop met zijn vingertoppen bij twee hoeken, loopt naar oma's auto, haalt zijn bewijsmateriaal eruit en loopt terug zonder iets te laten vallen. Farouk kijkt rokend toe.

'Als ze terugkomt, moet je me meteen waarschuwen,' zegt Win tegen hem. 'Als er een gek voor me komt, ga dan niet eerst sigaretten bietsen en uren in het donker op me zitten wachten.'

'Ik wil die bendemensen hier niet hebben. Ik hoef hier geen drugs en schietpartijen,' roept Farouk uit.

Het huis heeft geen lift, want die waren er nog niet in het victoriaanse tijdperk van rust, reinheid en regelmaat. Win loopt met de pot en de bakken de drie trappen op naar zijn appartement, twee klaslokalen die bij de renovatie zijn doorgebroken. Er zijn een keuken, een badkamer en een airconditioner in geplaatst. Aangezien hij hier tijdens de renovatie al woonde en toen heeft geholpen toezicht te houden en de boel te bewaken, heeft hij zijn zin in een aantal dingen kunnen doordrijven: de originele grenen vloer, de lambrisering en het gewelfde plafond zijn behouden gebleven en zelfs de schoolborden, waar hij boodschappenlijstjes, andere dingen die hij nog moet doen, telefoonnummers en afspraken op noteert.

Hij legt het bewijsmateriaal op tafel, sluit de zware eikenhouten deur, draait hem op slot, schuift de grendel ervoor, kijkt zoals altijd om zich heen om zich ervan te verzekeren dat alles in orde is en wordt nog somberder. Na een dag Lamont en Stump heeft hij een nog lagere dunk van zichzelf dan anders. Hij is zich deprimerend bewust van het oosterse tapijt, de Thomas Moser-tafel, de leren bank, de niet bij elkaar passende stoelen en de planken vol ramsjboeken die hij voor een schijntje heeft gekocht en met veel moeite leest. Het is allemaal weggedaan of tweedehands, uit kringloopwinkels, van boedelverkopen, eBay of Craigslist. Aangetast, beschadigd, afgedankt. Hij haalt zijn pistool uit de holster, legt het op de eettafel, trekt zijn colbert uit, doet zijn stropdas af, knoopt zijn overhemd open, gaat achter zijn computer zitten, logt in op een databank en voert het adres van het victoriaanse herenhuis in. Hij maakt een uitdraai van de eigenaren van de afgelopen vijfendertig jaar en hun mogelijke verwanten. Andere zoekacties wijzen uit dat de laatste koopakte dateert van afgelopen maart, toen het vervallen pand voor zes komma negen miljoen dollar is aangeschaft door de bv FOIL. Het moet een afkorting zijn. Hij googelt hem.

Hij krijgt maar een paar resultaten: een popgroep uit San Diego, een educatieve site die First Outside Inside Last heet, de wet Freedom of Information, het Forum van Indiaans Links en een bordspel dat om woorden en vernuft draait.

Hij kan zich niet voorstellen hoe iets daarvan iets te maken kan hebben met een victoriaans herenhuis aan Brattle Street, en hij overweegt Lamont te bellen en een verklaring van haar te eisen, tegen haar te zeggen dat hij weet waar ze vanavond is geweest, dat hij haar heeft gezien. Misschien kan hij haar zo bang maken dat ze opbiecht wat ze daar te zoeken had. Hij ziet de kamer met de matras en de kaars voor zich, het bewijs dat er foto's zijn genomen. Hij denkt aan het vandalisme, sporen van vermoedelijke koperdiefstal. En hij kan de fles wijn niet uit zijn hoofd zetten, de sporen van Prada-schoenen. Als iemand hem erin wil luizen, wie is het dan, en waarom? En hoe zou Lamont er níét bij betrokken kunnen zijn?

Hij spreidt vetvrij papier over de tafel uit en trekt latex handschoenen aan. Hij breekt een ampul jodiumkristallen boven een Ziploc-zak, stopt de envelop erin, drukt de zak dicht en schudt er licht mee. Hij wacht een paar minuten, haalt de envelop eruit en blaast erop zonder zich druk te maken om DNA-sporen, want daar is de plakstrook de beste bron voor. Zijn warme, vochtige adem gaat een chemische reactie aan met het jodium. Er verschijnen lichte vingerafdrukken op het papier, die zwarter worden naarmate hij er langer op blaast. Hij snijdt de envelop open en laat er een gewoon vel wit papier uit glijden. Er staat in keurige roze viltstiftletters op: *Morgenochtend. Tien uur. De spoelplaats in Filippello Park. Hoogachtend, Lappen Lijs.*

De volgende dag, drie uur 's middags, Britse tijd.
Hoofdinspecteur Jeremy Killien kijkt door het raam van zijn kamer in New Scotland Yard naar het draaiende, driehoekige stalen bord voor het legendarische stalen gebouw. Het trage draaien van het bord is meestal bevorderlijk voor zijn concentratie, maar hij snakt naar nicotine en is wrevelig. Alsof hij nog niet genoeg te doen heeft, moest de hoofdcommissaris hem hier ook nog mee overvallen.

Killiens kantoor op de vierde verdieping, in het hart van het Specialist Crime Directorate, wordt overheerst door de iconografie van zijn leven. Boeken, dossiers, de gelaagde beschavingen paperassen die hij op een dag zal opgraven, en aan de wanden een beleefde, prestigieuze massa foto's. Margaret Thatcher, Tony Blair, prinses Diana, Helen Mirren... en ze staan allemaal naast hem. Hij heeft het te verwachten schaduwkabinet met politiepetten en insignes, en in een hoek staat een etalagepop in een victoriaans uniform met op de kraag het nummer 452H, wat inhoudt dat de bobby die het droeg ten tijde van Sherlock Holmes en Jack the Ripper in Whitechapel werkte.

Jezus, één lullig sigaretje, is dat te veel gevraagd? Killien heeft het afgelopen uur zijn best gedaan de hunkering te negeren en windt zich er weer van voren af aan over op dat hij, na tientallen jaren van zijn leven aan de Metropolitan Police Service te hebben opgeofferd, niet eens meer aan zijn bureau of in het gebouw mag roken, maar stiekem met de dienstlift naar het binnenplein met de naar afval stinkende laadzone moet om daar als een dakloze zijn drug te gebruiken. Hij trekt een la open, neemt nog een nicotinekauwgompje met pepermuntsmaak en kalmeert enigszins wanneer zijn tong begint te tintelen. Dan richt hij zich weer plichtsgetrouw op de onopgeloste moord uit 1962 in Massachusetts. Bizar. De hoofdcommissaris moet knettergek zijn om zoiets aan te nemen. Een onopgeloste moord van vijfenveertig jaar geleden die niet eens in het Verenigd Koninkrijk is gepleegd? Winston 'Win' Garano wordt ook wel Geronimo genoemd, ongetwijfeld omdat hij van gemengd bloed is. Een knappe vent, dat moet Killien hem nageven. Een mokkakleurige huid, golvend zwart haar en de krachtige, rechte neus van een Romeinse keizer. Vierendertig jaar, nooit getrouwd geweest, beide ouders overleden toen hij zeven was. Een defecte kachel, koolmonoxidevergiftiging. Zelfs zijn hond Pencil is eraan bezweken. Rare naam voor een hond.

Eens zien, eens zien. Opgevoed door zijn grootmoeder... O, die is goed. Ze noemt zichzelf 'wiccan'. Een heks. Ze rijdt abominabel. Foutparkeren, door rood rijden, illegaal keren, te hard rijden, rijbewijs ingenomen en na betaling van de boetes teruggegeven. Goeie hemel, o, daar gaan we. Drie jaar geleden gearresteerd, aanklacht ingetrokken. Ze zou negenhonderdnegenennegentig penny's, vers van de munt, in de tuin van Mitt Romney hebben gegooid, de gouverneur van Massachusetts. Nog mooier: ze schreef de naam van vicepresident Dick Cheney op een vel perkament, stopte het in een zak met hondenpoep en begroef die op een kerkhof. Beide keren op heterdaad betrapt bij het vervloeken. Tja, dat is geen misdaad. Ze hadden haar een beloning moeten geven.

Naar het schijnt is Win Garano van zijn gewone taken ontheven vanwege de zaak in Watertown. Dat klinkt verdacht. Het klinkt als een straf. Het klinkt alsof hij zijn baas tegen de haren in heeft gestreken. Monique Lamont, officier van justitie van het arrondissement Middlesex. Hoewel ze de kiezers achter zich had, heeft ze zich in 2006 teruggetrokken als kandidaat voor het gouverneurschap, is ze overgestapt naar de republikeinen en heeft ze zich weer verkiesbaar gesteld voor haar huidige functie. Ze heeft met voorsprong gewonnen. Nooit getrouwd geweest, op dit moment geen serieuze relatie. Killien kijkt lang naar haar foto. Zwart haar, donkere ogen, een schoonheid. Een vooraanstaande familie van Franse afkomst.

Zijn telefoon gaat.

'Heb je al kans gezien naar die toestand in Massachusetts te kijken?' vraagt de hoofdcommissaris plompverloren.

Toestand? Wat een vreemde omschrijving, denkt Killien. Hij maakt een grote envelop open en laat er meer documentatie uit glijden, processen-verbaal en ziekenhuisfoto's. Het duurt even voordat hij verbijsterd beseft dat het slachtoffer Lamont is. Verkracht en bijna vermoord, vorig jaar.

'Hallo? Ben je er nog?' De hoofdcommissaris.

Killien schraapt zijn keel. 'Ik ben er op dit moment mee bezig, chef.'

De belager, die haar had overmeesterd in de slaapkamer van haar huis in Cambridge, is doodgeschoten door diezelfde rechercheur, Win Garano. Wat moest hij in haar slaapkamer? O, daar staat het. Hij werd ongerust door haar gedrag aan de telefoon, reed naar haar huis, zag dat de achterdeur openstond, trof de belager aan en doodde hem. Pd-foto's van de aspirant-moordenaar op de slaapkamervloer van Lamont, alles onder het bloed. Foto's van Lamont, van haar verwondingen. Striemen rond haar polsen en enkels. Zuigplekken op haar ontblote…

'Luister je wel?' zegt de dwingende stem van de hoofdcommissaris.

'Natuurlijk, chef.' Killien kijkt door het raam naar het draaiende bord.

'Het slachtoffer, zoals je inmiddels wel terdege zult beseffen, was een Britse. Uit Londen,' zegt de hoofdcommissaris.

Daar was Killien nog niet, maar als hij dat zegt, zal de hoofdcommissaris hem de wind van voren geven. Killien omzeilt de vraag door een andere te stellen. 'Is dit destijds niet grondig door de Met onderzocht?' Hij verschuift papieren op zijn bureau. 'Ik zie niets...'
'We zijn kennelijk niet benaderd. De Britten hadden er kennelijk geen belang bij. Het vriendje van het slachtoffer was Amerikaans, hij was de hoofdverdachte en zelfs al was er ook maar de geringste verdenking dat het het werk was van de Boston Strangler, dan was dat nog geen reden geweest om ons erbij te halen.'
'De Boston Strangler?'
'De theorie van de officier van justitie.'
Killien spreidt de foto's uit die in het ziekenhuis zijn genomen, waar Lamont door een forensisch verpleegkundige is onderzocht. Hij stelt zich voor dat politiemensen haar zo hebben gezien. Hoe kunnen ze hun machtige officier ooit nog aankijken zonder te denken aan wat hij nu op die foto's ziet? Hoe gaat ze daarmee om?
'Natuurlijk doe ik alles wat u zegt,' zegt hij, 'maar waarom is dit opeens zo dringend?'
'Dat kunnen we bij een borrel bespreken,' zegt de hoofdcommissaris. 'Ik heb iets in het Dorchester, dus zorg dat je daar stipt om vijf uur bent.'

Intussen is Filippello Park in Watertown uitgestorven. Alleen maar lege picknicktafels in de schaduw van bomen, lege speelvelden en koude barbecues. Win neemt aan dat de 'speelplaats' waaraan Lappen Lijs refereerde in het briefje dat ze aan Farouk heeft gegeven, vermoedelijk de kleuterspeeltuin is, dus wacht hij op een bank bij de glijbanen en het pierenbadje. Geen mens te bekennen tot acht over tien, en dan hoort hij een auto op het fietspad. Er zijn maar twee soorten mensen onbeheerst genoeg om op fietspaden te rijden: smerissen en idioten die achter de tralies horen. Hij staat op als hij een donkerblauwe Taurus ziet parkeren. Stump draait haar raampje naar beneden.

'Ik heb begrepen dat je hier had afgesproken.' Ze kijkt hem woedend aan, alsof ze hem haat.

'Heb je haar weggejaagd?' zegt hij, zelf ook niet al te vriendelijk.

'Je hebt hier niets te zoeken.'

'Volgens mij is dit een openbare ruimte. En wat kom jij hier in godsnaam doen?'

'Je afspraak gaat niet door. Dat wilde ik je even persoonlijk komen melden. Wel attent van me, in aanmerking genomen wat je me hebt geflikt.'

'Wat ik je heb geflikt? En wie heeft je in hemelsnaam verteld...'

'Je komt ongevraagd naar het mobiele lab,' valt Stump hem in de rede. 'Je blijft een uur, doet alsof je een beste jongen bent, behulpzaam, zelfs. Later bel je om een afspraakje te maken, en al die tijd ben je me aan het vernaaien.'

'Vernaaien?'

'Kop dicht en stap in. Ik heb je roestbak daarginds zien staan. Haal hem later maar op. Volgens mij hoef je niet bang te zijn dat iemand hem steelt.'

Ze rijden stapvoets over het fietspad. Ze kijkt strak voor zich door haar zonnebril. Haar kleding is nonchalant, op het slordige af, maar om een reden. Een kaki blouse, niet ingestopt, wijd, om het pistool op haar heup of rug te verbergen. Haar spijkerbroek van verschoten, zacht

66

denim zit niet strak, is hier en daar gerafeld en lang, vermoedelijk om een enkelholster te bedekken. Om de linkerenkel, waarschijnlijk. Of de rechter, hij heeft geen idee. Hij weet niets van protheses, en hij volgt de contouren van haar dijen met zijn blik en vraagt zich af hoe ze ervoor zorgt dat de rechter net zo gespierd blijft als de linker. Ze moet *leg extensions* doen, denkt hij, misschien op een speciaal ontworpen apparaat, of misschien bindt ze gewichten onder haar knieën om haar benen en doet ze op die manier extensions. Hij zou in haar plaats zijn dijspieren mooi niet laten atrofiëren omdat hij een ander stukje been miste.

Stump remt plotseling, geeft een ruk aan een hendel onder haar stoel om hem zo ver mogelijk naar achteren te schuiven en zet haar rechtervoet op het dashboard.

'Zo,' snauwt ze. 'Kijk maar lekker. Ik ben dat niet zo subtiele gegluur van jou spuugzat.'

'Gave wandelschoenen,' zegt hij. 'Lowa's met Vibrambuitenzolen, schok dempend, verbazende stabilisatie. Als ik de rand van je prothesesok niet vlak boven je knieschijf zag zitten, en het is trouwens alleen maar zichtbaar door je spijkerbroek nu je je been gebogen in de lucht houdt, zou ik niets vermoeden. Ik ben hier niet degene die een probleem heeft. Ik ben benieuwd, dat wel, maar gluren? Nee.'

'Je vergeet erbij te zeggen dat je een manipulator bent, want dat ben je, een verdomde manipulator die niets anders doet dan designkledingwinkels afstruinen en catalogi met mannenkleding doornemen, want het enige waar jij iets om geeft, is hoe je eruitziet, en geen wonder. Aangezien je verder geen inhoud hebt. En ik weet niet wat je van plan bent, maar dit is geen goed begin.

Ten eerste had je vanochtend om tien uur een afspraak met de commissaris. Dus je geeft nu al blijk van je gebrek aan respect.'

'Ik heb een boodschap doorgegeven.'

'Ten tweede stel ik het niet op prijs dat jij je bemoeit met mensen die je niets aangaan.'

'Wat voor mensen?'

'De vrouw die je een afspraak in het park hebt afgedwongen.'

'Ik heb om de donder niemand iets afgedwongen. Ze heeft gisteren een briefje bij mijn huis afgegeven, ondertekend met "Lappen Lijs", waarin stond dat ik haar vanochtend op de speelplaats moest treffen.' Pas nu hij het heeft gezegd, beseft hij hoe bespottelijk het klinkt.

'Blijf uit haar buurt.'

'Ik dacht dat het zomaar een zottin uit een plaatselijk opvanghuis was. Nu heb jij opeens een persoonlijke band met haar.'

'Het kan me geen reet schelen wat jij dacht.'

'Hoe wist je dat ik een afspraak met haar had?'

Stump schuift de stoel naar voren en rijdt door.

'Weet je?' zegt hij. 'Ik hoef dit niet te pikken. Keer maar om en zet me bij mijn auto af.'

'Daar is het nu te laat voor. Jij je zin. Je gaat vandaag wat tijd met me doorbrengen. En daarna volg je mijn advies misschien op, ga je terug naar je baan en maak je dat je wegkomt uit Watertown.'

'O, voor ik het vergeet: er is gisteren bij me ingebroken.' Hij is niet van plan oma te noemen, te zeggen dat er in feite bij haar is ingebroken, niet bij hem. 'Nu kom ik erachter dat een gek die zich verkleedt als Lappen Lijs leugens over me vertelt. En dan kom jij als bij toverslag in haar plaats opduiken.'

'Hoezo, ingebroken?' Stump laat haar stoere act even varen. 'Bij je thuis, bedoel je?'

'Nee, in het Watergate, nou goed?'

'Wat is er gestolen?'

'Een paar persoonlijke bezittingen.'

'Zoals?'

'Zoals dat vertel ik je niet, want op dit moment vertrouw ik niemand. Jou ook niet.'

Stilte. Ze rijden door Arlington Street, dan door Elm Street, en dan komen ze op een afgelegen parkeerterrein van de Watertown Mall, waar Stump achteruit tussen twee SUV's parkeert.

'Auto-inbraken,' zegt ze alsof het voorafgaande gesprek er niet is geweest. 'Die eikels binden een magneet aan een touwtje en halen hem langs een portier om het slot omhoog te krijgen. Of ze prikken een gaatje in een tennisbal en slaan hem tegen het slot, zodat de luchtdruk het openduwt. Die draagbare navigatiesystemen zijn nu natuurlijk je van het.'

Ze maakt het handschoenenvak open en diept er een Magellan Maestro 4040 uit op waarvan de voorruitbevestiging is afgebroken. Ze steekt de stekker van de lader in de aansteker en wikkelt het snoer om de achteruitkijkspiegel. De gemankeerde gps bungelt als een set pluchen dobbelstenen voor het raam.

'De mensen zijn stom genoeg om ze in hun auto te laten liggen, in het volle zicht. Ik daarentegen was stom genoeg om deze in mijn auto te laten liggen, die door collega's wordt gebruikt wanneer ik geen dienst heb. Iets anders dan je gewend bent, zeker? Crown Vics met ingebouwd navigatiesysteem, mobieltjes met onbeperkt beltegoed. Weet je wat er gebeurt als ik boven mijn limiet kom? Dan moet ik de telefoonrekening zelf betalen. En een auto die ik mee naar huis mag nemen, kan ik wel vergeten.'

'Als ik een auto mee naar huis mocht nemen, zou ik toch niet in die roestbak rijden, zoals jij hem zo tactvol omschrijft?'

'Van wie is dat ding eigenlijk? Hij past niet bij je maatpakken en gouden horloge.'

Hij zegt niets.

'Zie je dat oude vrouwtje daar dat haar bestelautootje openmaakt?' vervolgt Stump. 'Ik kan haar omvergooien en er met haar tas vandoor gaan voordat jij met je ogen kunt knipperen. Voor haar zou dat waarschijnlijk het ergste zijn wat haar in haar hele leven is overkomen. Iemand die zo belangrijk is als jij, zou er niet eens proces-verbaal van opmaken.'

'Het is wel duidelijk dat je me niet kent.'

'O, ik weet genoeg, want ik weet wat je hebt gedaan.' Haar donkere brillenglazen kijken hem aan. 'Je bent nog erger dan ik dacht. Wat heb je gedaan? Van opvanghuis naar opvanghuis gereden tot je haar vond, zodat je haar de stuipen op het lijf kon jagen?'

'Ik heb toch gezegd dat zíj die afspraak...'

'Misschien. Nadat je haar overal had gevolgd, haar doodsbang had gemaakt, misbruik had gemaakt van haar zwakke geestestoestand.' Stumps vijandigheid boet aan overtuigingskracht in.

Hij weet niet waarom, maar hij voelt aan dat ze toneelspeelt, en ze is geen uitgesproken vaardige actrice.

'Wie is het?' vraagt hij. 'En wat moet dat met dat lappenpopgedoe?'

'Dat moet ze zijn. Misschien gelooft ze het zelf, misschien niet. Wie zal het zeggen? Het maakt niet uit.'

'Toch wel. Excentriek is iets anders dan psychotisch.' Hij ziet meer mensen die hebben gewinkeld teruglopen naar hun auto, en er is geen gps-dief te bekennen.

'Ze beweert dat je haar hebt bedreigd,' zegt Stump. 'Ze beweert dat je hebt gezegd dat ze vanochtend naar het park moest komen, anders zou je ervoor zorgen dat ze de deur niet meer uit kon zonder in de cel gesmeten te worden.'

'Heeft ze je ook een aannemelijke verklaring gegeven voor mijn dreigementen?'

'Je wilde seks met haar.'

'Als je dat gelooft, ben jij misschien psychotisch,' zegt hij.

'Waarom? Omdat een vent als jij iedereen kan krijgen die hij wil en dus geen zin zou hebben in zo'n onaantrekkelijke nul?'

'Kom nou, Stump. Als je me echt zo grondig hebt nagetrokken als je zegt, weet je verdomd goed dat ik niet zo bekendsta.'

'Zo te horen weet je niet wat de mensen over je zeggen, ken je de speculaties niet.'

'Ze zeggen van alles over me, maar waar doel je nu precies op?'

'Wat er die avond echt is gebeurd in Lamonts slaapkamer.'

Hij is sprakeloos. Heeft ze dat echt gezegd?

'Hoe moet ik weten wat waar is?' zegt Stump.

'Drijf me niet tot het uiterste,' zegt hij zacht.

'Ik zeg gewoon dat de speculaties er zijn. Overal. Mensen, vooral politiemensen, die denken dat jij al bij La-

mont thuis was toen die gast inbrak. In haar slaapkamer, specifieker gezegd. Wat inhoudt dat je haar had
kunnen redden zonder hem te vermoorden, maar dan
was je ranzige geheimpje aan het licht gekomen.'

'Breng me naar mijn auto.'

'Ik heb het recht om te weten of jullie ooit...'

'Jij hebt geen enkel recht,' zegt hij.

'Als ik een greintje respect voor je wil kunnen opbren-
gen...'

'Misschien kun je beter tobben over mijn respect voor
jou,' zegt hij.

'Ik moet het weten.'

'Als we het hebben gedaan, wat dan nog? Wat zeg je
daarvan? Zij is single. Ik ben single. We zijn allebei vol-
wassen.'

'Een bekentenis. Dank je,' zegt ze ijzig.

'Waarom is het zo belangrijk voor je?' vraagt hij.

'Omdat het betekent dat je leven één grote leugen is, dat
je gewoon een bedrieger bent, nep. Dat je met de baas
slaapt, en dat leidt regelrecht naar de reden waarom ze
je naar Watertown heeft gestuurd. Het moet je iets opleveren. Zeker als je het nog steeds met haar doet. Wat
waarschijnlijk zo is. Ik heb geen zin in mensen zoals jij.'

'Nee, ik denk dat je in werkelijkheid heel hard je best
doet om geen zin in me te hebben,' zegt Win. 'Waarom?
Is het een bevestiging van je wereldbeeld als ik tuig ben?'

'Dat denk jij weer, narcistisch als je bent.'

'We zijn niet met elkaar naar bed geweest,' zegt hij. 'Zo.
Nu tevreden?'

Ze start zwijgend, zonder hem aan te kijken.

'En het had gekund, als je het per se wilt weten,' voegt
hij eraan toe. 'Ik zeg het niet om op te scheppen, maar

daarna was ze... hoe zal ik het zeggen? Heel kwetsbaar.'
'En nu?' Stump voert een adres in in de bungelende gps.
'Na wat haar is overkomen? Ze zal altijd kwetsbaar blijven,' zegt hij. 'Het probleem is dat ze het zelf niet door-
heeft, dat ze gewoon van de ene blunder naar de andere struikelt. Hoe voortvarend Lamont ook is, ze loopt
voor zichzelf weg. Hoe slim ze ook is, ze heeft geen in-
zicht.'
'Dat bedoelde ik niet. En nu?'
'In de verste verte niet. Trouwens, waar gaan we heen?'
'Ik moet je iets laten zien,' zegt Stump.

5

Het Dorchester Hotel is voor staatshoofden en be-
roemdheden, niet voor zo iemand als Killien, die zich er
nauwelijks een kop thee kan veroorloven.
Terwijl bedienden een Ferrari en een Aston Martin parkeren, wordt hij plompverloren uit de taxi gezet, midden in een groep Arabieren met hoofddoeken die niet genegen zijn voor hem opzij te gaan. Zeker familie van de
sultan van Brunei, want het is zijn hotel, denkt Killien
terwijl hij een lobby met marmeren zuilen, gouden lijst-
werk en genoeg verse bloemen voor een begrafenis of
twee betreedt. Dat hij rechercheur is, heeft het voordeel
dat hij zich op de plaatsen en in de situaties waarin hij
zich begeeft weet te gedragen alsof hij er hoort.
Hij knoopt zijn gekreukte colbert dicht, slaat links af
naar de bar en doet welbewust of hij niet onder de indruk is van de rood glazen kunstvoorwerpen, het ma-
honie, de paarse en goudkleurige zijde, de oosterlingen,
nog meer Arabieren, het handjevol Italianen en de paar
Amerikanen. Er lijkt geen Brit aanwezig te zijn, behalve
de hoofdcommissaris, die alleen aan een rond tafeltje in
een hoek zit, met zijn rug naar de muur en zijn gezicht
naar de deur. Als puntje bij paaltje komt, is de hoofdcommissaris diep in zijn hart nog altijd een smeris, zij
het in goeden doen omdat hij goede keuzes heeft gemaakt
in het leven, zoals de barones met wie hij is getrouwd.
Hij drinkt een pure whisky, waarschijnlijk Macallan, ge-

lagerd in een vat waarin eerder sherry is gerijpt. De zilveren schaaltjes chips en nootjes in zijn buurt zien er onaangeroerd uit. Hij is onberispelijk gekleed in een grijs krijtstreeppak met een wit overhemd en donkerrode zijden das, met een keurig verzorgde snor en als altijd wazige blauwe ogen, alsof hij afwezig is, terwijl hem in werkelijkheid niets ontgaat. Killien zit nog niet of er verschijnt al een ober. Een pint donker bier dan maar. Hij moet zijn kop erbij houden.

'Ik moet je meer vertellen over die Amerikaanse zaak,' begint de hoofdcommissaris, die graag zegt waar het op staat. 'Ik weet dat je je afvraagt waarom die voorrang heeft gekregen.'

'Zeker,' zegt Killien. 'Ik heb geen idee waar het allemaal over gaat, al is het nogal merkwaardig, voor zover ik het heb kunnen bekijken. Die Monique Lamont, bijvoorbeeld...'

'Machtig en omstreden. En oogverblindend, zou ik eraan kunnen toevoegen.'

Killien denkt aan de foto's. De hoofdcommissaris moet ze ook hebben gezien, en hij vraagt zich af of zijn baas er ook zo door uit het lood is geslagen. Het is niet gepast om naar foto's van het slachtoffer van een geweldsmisdrijf te kijken en aan meer te denken dan het letsel van de vrouw, aan dingen die niets te maken hebben met degelijk recherchewerk. En Killien blijft maar aan die foto's denken, aan haar soepele...

'Jeremy, ben je er nog?' vraagt de hoofdcommissaris.

'Ja, zeker.'

'Je maakt een verstrooide indruk.'

'Absoluut niet.'

'Goed dan,' zegt de hoofdcommissaris. 'Ze belde me een

paar weken geleden om te vragen of ik ervan op de hoogte was dat een van de mogelijke slachtoffers van de Boston Strangler een Brits staatsburger was. Ze zei dat de zaak was heropend en stelde voor dat de Yard aan het onderzoek zou meewerken.'

'Eerlijk gezegd zou ik niet weten waarom we meer zouden moeten doen dan discreet onze voelhoorns uitsteken. Het klinkt mij politiek in de oren.'

'Uiteraard. Ze heeft al plannen gemaakt voor buitensporig veel publiciteit, waaronder een reportage van de BBC die gegarandeerd zou worden uitgezonden als we meedoen, zei ze, en ga zo maar door. Aanmatigend, eigenlijk, alsof we haar steun nodig hebben voor een BBC-programma. Ze heeft wel lef.'

'Ik weet niet hoe we haar kunnen helpen zo'n theorie te bewijzen, aangezien de identiteit van de Boston Strangler niet vaststaat. En waarschijnlijk nooit zal worden vastgesteld,' zegt Killien.

De hoofdcommissaris nipt van zijn whisky. 'Haar politieke agenda is van geen belang. Ik ken haar type maar al te goed. Normaal gesproken zou haar poging ons er aan de haren bij te slepen tactvol genegeerd worden, maar er schijnt een invalshoek te zijn waarvan zij zich niet bewust is, en daarom hebben wij dit gesprek nu.'

De ober komt de pint donker bier brengen. Killien neemt een grote teug.

'Toen ze bij Yard aanklopte met haar stokoude zaak, heb ik uit pure hoffelijkheid een en ander laten natrekken, en toen is er ook iets over haar aan het licht gekomen. Het was een gewoon routineonderzoek,' vervolgt hij. 'En dat heeft verontrustende informatie opgeleverd, niet over de zaak, die me eerlijk gezegd nauwelijks boeit, maar over Monique Lamont zelf, en financiële transacties en donaties die de aandacht hebben getrokken van het Amerikaanse ministerie van Financiën. Haar naam bleek in de database van de inlichtingendienst van het Pentagon te zitten.'

Killien zet zijn pint met een klap neer. 'Wordt ze ervan verdacht geld door te sluizen naar terroristen?'

'Precies.'

'Het eerste wat in me opkomt, is dat het een bureaucratische blunder moet zijn. Misschien heeft ze plotseling met legitieme redenen grote bedragen overgemaakt,' oppert Killien.

Het gebeurt vaker dan de mensen denken. Op basis van wat hij in haar dossier heeft gelezen, moet ze over miljoenen dollars beschikken die ze niet zelf heeft verworven, net als de hoofdcommissaris. Waarschijnlijk schuift ze veel met geld: ze zal grote aankopen in Amerika en in het buitenland contant betalen en gulle schenkingen doen aan verschillende organisaties. Dan schiet hem nog iets te binnen uit het zojuist gelezen dossier: afgelopen herfst is ze opeens overgestapt naar een andere politieke partij. Dat is op zich genoeg om iemand die zich hierdoor verraden of beledigd voelde, wraaklustig te maken.

'Het zorgwekkendst,' zegt de hoofdcommissaris, 'schijnt een groot bedrag te zijn dat ze onlangs heeft geschonken aan een instantie die kinderen in Roemenië helpt. Zoals je weet is een aantal van die instellingen een dekmantel om geld voor terrorisme in te zamelen. De organisatie waaraan zij geld heeft gegeven, wordt ervan verdacht kinderen aan Al Qaida te leveren die gebruikt kunnen worden voor zelfmoordaanslagen en dergelijke.'

Hij vertelt Killien dat er veel in de pers te doen is geweest over de donatie, over Lamonts medeleven met weesjes, wat bij Killien het vermoeden wekt dat als het goede doel echt een dekmantel is voor een terroristische organisatie, Lamont daar waarschijnlijk niets van weet. Als ze het wist, zou ze er toch geen persconferentie over beleggen? Het maakt niet uit. Ook als er geen sprake is van boze opzet en zelfs als je je er niet van bewust bent, kun je je schuldig maken aan een misdrijf.

En de hoofdcommissaris zegt: 'Ze staat op de *no-fly* lijst, maar dat weet ze waarschijnlijk niet eens, want ze heeft de afgelopen maanden niet geprobeerd een vlucht te boeken. Zodra ze dat wel doet, zal het tot haar doordringen dat ze in de gaten wordt gehouden. Daarom moeten we dit onmiddellijk onderzoeken.'

'Als haar rekeningen zijn geblokkeerd, moet ze dat toch weten?'

'De CIA, de FBI en de DIA blokkeren rekeningen vaak niet om mogelijke financiering van terrorisme te kunnen volgen. Vermoedelijk heeft ze geen flauw idee.'

Dit prikkelt Killiens eigen geheime angsten. Je weet maar nooit wie er in je bankafschriften bladert, je e-mail, medische gegevens of favoriete internetsites bekijkt, tot je op een dag ontdekt dat je rekeningen zijn geblokkeerd of dat je niet in een vliegtuig mag stappen, of tot er op een dag geheim agenten je zaak of huis binnendringen en je meenemen ter ondervraging. Misschien deporteren ze je zelfs naar een geheime gevangenis in een land dat ontkent zich van martelpraktijken te bedienen.

'Wat heeft dit allemaal te maken met de moord op Janie Brolin en onze plotselinge, dringende behoefte die te onderzoeken?' vraagt hij.

De hoofdcommissaris gebaart naar de ober dat hij nog

een whisky wil en zegt: 'Het geeft ons een excuus om ons in Monique Lamont te verdiepen.'

De koepel van het parlementsgebouw van de staat glanst boven Boston als een gouden kroon, en terwijl Lamont er door het donkergetinte glas van de zwarte Ford Expedition van de staatspolitie naar kijkt, vraagt ze zich af waarom er drieëntwintig karaats goud is gebruikt in plaats van vierentwintig.

Een zinloos weetje dat gouverneur Mather, die zich afficheert als een hele historicus, vast en zeker dwars moet zitten. Ze heeft vanochtend echt zin hem zo veel mogelijk uit zijn evenwicht te brengen. Om het hem betaald te zetten dat hij haar onheus bejegent, maar ook om hem op haar immense waarde te wijzen. Hij zal haar eindelijk laten uitpraten en inzien hoe geniaal haar misdaadbestrijdingsinitiatief is, de zaak-Janie Brolin met zijn onmetelijke internationale implicaties.

De assistent die Lamont vergezelt, is praatlustig. Lamont niet. Ze loopt doelbewust door de vertrouwde gang, de raadszaal, de kabinetszaal en de wachtkamer vol portretten en fraai antiek naar het binnenste heiligdom. Alles wat van haar had moeten zijn.

'Gouverneur?' zegt de assistent vanuit de deuropening. 'Hier is mevrouw Lamont.'

Hij zit achter zijn bureau papieren te ondertekenen en kijkt niet op. Ze loopt de kamer in.

'Als iemand hier het antwoord op weet, ben jij het wel, Howard. De koepel van het parlementsgebouw. Waarom drieëntwintig karaats goud in plaats van vierentwintig?'

'Dat kun je beter aan Paul Revere vragen, denk ik.' Hij klinkt afwezig.

'Die heeft de koepel verkoperd,' zegt Lamont.

De gouverneur zet nog een handtekening. 'Hè?'

'Voor het geval het je ooit wordt gevraagd; ik weet dat je je niet wilt vergissen. Paul Revere heeft de koepel met koper bedekt om hem waterdicht te maken.' Ze kiest ongevraagd een zware, met weelderig damast beklede stoel en gaat zitten. 'De koepel is pas ongeveer een eeuw daarna verguld. En ik vind het fascinerend dat je een portret van William Phips hebt gekozen.' Ze kijkt aandachtig naar het strenge olieverfportret boven de marmeren schouw achter Mathers bureau. 'Onze hooggeëerde gouverneur van Salem die naam heeft gemaakt met zijn heksenprocessen,' voegt ze eraan toe.

Een van de extraatjes van het gouverneurschap is dat je het portret van je favoriete gouverneur van Massachusetts in je kantoor mag hangen. Het is algemeen bekend dat Mather zijn eigen portret zou hebben gekozen als het al was geschilderd. De stichtelijke duivelhater William Phips kijkt van opzij naar Lamont, die haar blik over het antiek en het stucreliëf van de muren laat glijden. Waarom zijn mannen, en dan vooral republikeinse mannen, zo wild van Frederic Remington? De gouverneur heeft een hele verzameling bronzen. *Bronco Buster* op zijn drieste paard. *Cheyenne* op galopperend paard. *Ratelslang* die op het punt staat een paard te bijten.

'Ik stel het op prijs dat je tijd voor me hebt vrijgemaakt, Howard.'

'Drieëntwintig karaats verguldsel in plaats van vierentwintig karaats,' zegt hij peinzend. 'Ik had het nog nooit gehoord, maar het is toch symbolisch, hè? Misschien om ons erop te wijzen dat de regering niet helemaal zuiver is.'

De gouverneur zelf is dat wel: een zuivere conservatieve

republikein. Blank, begin zestig, en een prettig, gelukzalig gezicht dat in tegenspraak is met de harteloze hypocriet erachter. Kalend, gezet, vaderlijk genoeg om niet bazig of oneerlijk over te komen, zoals Lamont, van wie wordt aangenomen dat ze een achterbakse ballenbreekster is omdat ze mooi, briljant, verlicht, exquise gekleed en sterk is en omdat ze niet onder stoelen of banken steekt dat ze degenen die het minder goed hebben getroffen dan zij steunt en zelfs tolereert. Het komt er domweg op neer dat ze oogt en klinkt als een democraat. En dat nog steeds zou zijn, op de stoel van de gouverneur zelfs, als ze haar lot niet in handen had gelegd van een regelrechte afstammeling van Cotton Mather, die hysterische heksenjager.

'Wat moet ik doen?' begint Lamont. 'Jij bent de strateeg. Ik geef toe dat ik in politiek opzicht een beetje een groentje ben.'

'Ik heb eens nagedacht over die YouTube-ontwikkeling, en je zou verbaasd kunnen opkijken van wat ik te zeggen heb.' Hij legt zijn pen neer. 'Toevallig zie ik dit niet als een handicap, maar als een kans. Weet je, Monique, het komt er kort en goed op neer dat ik vrees dat je overstap naar de republikeinse partij niet het gewenste effect heeft gesorteerd. Het volk ziet je nu meer dan ooit als het toonbeeld van een liberale, ambitieuze vrouw van het soort dat niet thuisblijft om kinderen op te voeden...'

'Ik heb duidelijk laten merken dat ik dol ben op kinderen en me oprecht en aantoonbaar voor hun welzijn inzet, vooral wezen...'

'Wezen in oorden als Litouwen...'

'Roemenië.'

'Je had wezen hier moeten nemen. Hier in Amerika. Wat kinderen die door Katrina van huis en haard zijn beroofd, bijvoorbeeld.'

'Misschien had je dat moeten zeggen voordat ik de cheque uitschreef, Howard.'

'Begrijp je waar ik naartoe wil?'

'Waarom je me ontloopt sinds je verkiezing. Ik vermoed dat je daarnaartoe wilt.'

'Je moet je onze gesprekken voorafgaand aan de verkiezingen herinneren.'

'Woord voor woord.'

'En kennelijk heb je ze woord voor woord genegeerd. Wat ik ondankbaar en onverstandig vind. En nu je in nood zit, kom je weer naar me toe.'

'Ik zal het goedmaken, en ik weet al precies hoe...'

'Als je een geslaagd republikeins leider wilt worden,' overstemt hij haar, 'moet je voor de conservatieve gezinswaarden staan. Er een voorstander van zijn, ervoor ten strijde trekken. Tegen het homohuwelijk zijn, tegen abortus, tegen het broeikaseffect, tegen stamcelonderzoek... Nou ja...' Hij tikt licht met zijn vingertoppen tegen elkaar. 'Het is niet aan mij om een oordeel te vellen, en het kan me niet schelen wat mensen in hun privéleven doen.'

'Iedereen wil weten wat mensen in hun privéleven doen.'

'Ik ben beslist niet onwetend als het om trauma's gaat. Ik heb in Vietnam gediend, zoals je weet.'

Deze wending had ze niet verwacht, en ze zet haar stekels op.

'Het is logisch dat je, na wat je hebt doorgemaakt, sterker de neiging hebt je te bewijzen. Je wordt agressief, boos en gedreven, en misschien ben je een tikje labiel. Bang voor intimiteit.'

'Ik wist niet dat Vietnam je zo had aangegrepen, Howard. Ik vind het verdrietig dat je bang zou kunnen zijn voor intimiteit. Hoe is het eigenlijk met Nora? Ik kan er nog steeds niet aan wennen dat ze de First Lady is.' Klein, mollig huisvrouwtje met het IQ van een weekdier.

'Ik ben niet verkracht in Vietnam,' zegt de gouverneur droog, 'maar ik weet dat het met krijgsgevangenen is gebeurd.' Hij kijkt opzij, net als de geschilderde gouverneur Phips. 'De mensen leven met je mee, Monique. Alleen een monster zou onverschillig blijven onder dat verschrikkelijke incident van vorig jaar.'

'Incident?' De woede laait op. 'Noem jij dat een *incident*?'

'Maar even realistisch,' vervolgt hij minzaam. 'De mensen geven geen moer om onze problemen, onze pech, onze tragedies. We verafschuwen zwakte. Dat is de menselijke aard. Het dierlijke instinct. We houden ook niet van vrouwen die te mannelijk zijn. Kracht en moed zijn prima, binnen bepaalde grenzen, zolang ze maar op vrouwelijke wijze tot uiting komen, zogezegd. Wat ik maar wil zeggen, is dat die clip op YouTube een geschenk is. Tutten voor de spiegel. Er charmant uit willen zien op een manier die mannen waarderen en vrouwen kunnen invoelen. Precies het imago dat je nu nodig hebt om dit aanzwellende tij van betreurenswaardige speculatie dat wat jou is overkomen, je als mogelijk leider heeft geschaad, te keren. Ja, je hebt aanvankelijk veel sympathie en bewondering bij het volk gewekt, maar nu gaat het snel de andere kant op. Je komt afstandelijk over, te hard, te berekenend.'

'Ik had er geen idee van.'

'Het gevaar van internet is onmiskenbaar,' vervolgt hij. 'Iedereen kan journalist zijn, schrijver, nieuwscommentator, filmproducer. Het voordeel is net zo onmiskenbaar. Mensen zoals wij kunnen hetzelfde doen. De rollen omdraaien en die zelfbenoemde... Als ik het woord gebruikte dat me nu invalt, zou ik net zo vulgair zijn als Richard Nixon. Je zou kunnen overwegen zelf een clip te maken en die anoniem te plaatsen. Vervolgens zou je, na veel gespeculeer, een kneus met de eer kunnen laten strijken.'

Wat exact is wat Mather doet. Dat had ze lang geleden al uitgeknobbeld.

'Wat voor clip?' informeert ze.

'Weet ik veel. Ga naar de kerk met een aantrekkelijke weduwnaar met een sliert kleine kinderen. Je kunt de gemeente geëmotioneerd toespreken, vertellen over je ommekeer, een bekering als die van Paulus op weg naar Damascus, die je een vurig tegenstander heeft gemaakt van abortus en een voorstander van een aanpassing van de grondwet om het homohuwelijk uit te bannen. Praat over de benarde toestand van mensen en huisdieren die dakloos zijn geraakt door Katrina om de aandacht af te leiden van je hulp aan niet-Amerikaanse weeskinderen.'

'Zulke dingen worden niet op YouTube gezet. Het moet een spontaan moment zijn dat gênant is, controversieel, heldhaftig of grappig. Zoals die buldog op dat skateboard...'

'Nou,' zegt hij ongeduldig, 'dan val je toch van de treden van de kansel? Misschien kan een ouderling of, nog beter, de dominee je te hulp snellen en je per ongeluk bij een borst pakken.'

'Ik ga niet naar de kerk. Nooit gedaan ook. En dit is een vernederend scenario...'

'En op de wc je eigen decolleté inspecteren niet?'

'Je hebt net gezegd van niet. Je zei dat het charmant was.

84

Je suggereerde dat het innemend was en dat het de mensen erop zou wijzen dat ik een begeerlijke vrouw ben, geen koelbloedige tiran.'

'Dit is niet het goede moment om koppig te zijn,' waarschuwt hij. 'Over nog geen drie jaar komt het raderwerk weer in beweging. Het is al begonnen.'

'Daarom heb ik je herhaaldelijk te spreken gevraagd over een andere kwestie,' grijpt ze haar kans. 'Een initiatief waarover je echt moet horen.'

Ze maakt haar koffertje open en pakt een samenvatting van de zaak-Janie Brolin. Ze reikt hem de papieren aan.

Hij neemt ze even door, schudt zijn hoofd en zegt: 'Ook al lost Win Huppeldepup die zaak op, dan hebben we het nog over een dag voorpaginanieuws, hooguit twee, en tegen de tijd van de verkiezingen weet geen mens er meer iets van, laat staan dat het nog gewicht in de schaal zou leggen.'

'Dit gaat niet om die ene zaak. Er speelt iets veel groters. En ik moet benadrukken dat dit nog niet in de openbaarheid mag worden gebracht. Pertinent niet. Ik neem je in vertrouwen, Howard.'

Hij legt zijn handen gevouwen op het bureau. 'Ik zou niet weten waarom ik het in de openbaarheid zou brengen, want het interesseert me niet. Wat mij interesseert, is hoe ik jou kan bijstaan in je zelfdestructie.'

Als dat geen dubbelzinnigheid is, weet Lamont het niet meer.

'Daarom neem ik de tijd om je te adviseren,' zegt hij. 'Om het een halt toe te roepen.'

Wat hij een halt wil toeroepen, is haar. Hij veracht haar, dat is altijd al zo geweest, en hij heeft haar in de laatste verkiezing alleen gesteund om een simpele reden: de republikeinen moesten zo veel mogelijk functies zien te winnen, zeker het gouverneurschap, en de enige manier om dat te bereiken, was door de democraten op het laatste moment te verzwakken doordat Lamont zich uit de race terugtrok. Dat ze er om 'persoonlijke redenen' toe overging, was schijn. In feite heeft ze een afspraak met Mather gemaakt en weet ze nu dat hij niet van plan was zich eraan te houden. Ze zal nooit senator of congreslid van de republikeinen worden en bovenal zal ze nooit in zijn kabinet dienen, mocht hij zijn doel bereiken en het vóór zijn dood tot president schoppen. Ze is ten prooi gevallen aan zijn intriges doordat ze, eerlijk gezegd, destijds niet goed heeft nagedacht.

'Ik wil dat je naar me luistert,' zegt de gouverneur. 'Dit is een dwaze, lichtzinnige onderneming en je hebt al genoeg slechte publiciteit gehad. Genoeg voor een heel leven.'

'Je kent de feiten van de zaak niet. Als je die kende, zou je er wel anders over denken.'

'Begin dan maar met je openingspleidooi. Breng me op andere gedachten.'

'Dit gaat niet om een onopgeloste moordzaak van vijfenveertig jaar geleden,' zegt ze. 'Het gaat erom dat we de handen ineenslaan met de Britten om een van de beruchtste misdaden uit de geschiedenis op te lossen. De Boston Strangler.'

De gouverneur kijkt haar honend aan. 'Wat hebben de Britten in godsnaam te maken met een blinde griet die in Watertown is verkracht en vermoord? Wat hebben de Britten in vredesnaam te maken met de Boston Strangler?'

'Janie Brolin was een Britse.'

'Wat maakt het uit, al was ze de moeder van Bin Laden!'
'En ze is hoogstwaarschijnlijk vermoord door de Boston Strangler. Scotland Yard is geïnteresseerd. Buitengewoon geïnteresseerd. Ik heb de hoofdcommissaris gesproken. Uitgebreid.'
'Goh, dat kan ik maar moeilijk geloven. Waarom zou hij zelfs maar aan de telefoon komen voor een aanklager uit Massachusetts?'
'Misschien omdat hij oprecht is in wat hij doet, er heel zeker van is wie hij is,' slaat ze subtiel terug. 'En omdat hij in zijn achterhoofd houdt dat het heel gunstig is als Groot-Brittannië en Amerika een nieuw verbond sluiten nu er een nieuwe premier is en, hopelijk, binnenkort een nieuwe president die geen...' Ze herinnert zich net op tijd dat ze tegenwoordig een republikein is en op haar woorden moet passen.
'Je sluit een verbond om Irak aan te pakken, terroristen, ja,' repliceert Mather, 'maar de Boston Strangler?'
'Ik kan je verzekeren dat Scotland Yard enthousiast is en zich volledig inzet. Als dat puzzelstukje nog niet op zijn plaats was gevallen, zou ik dit niet doordrukken.'
'Ik kan nog steeds moeilijk geloven...'
'Hoor eens, Howard, het onderzoek loopt. Het is al aan de gang. De meest bijzondere strafrechtelijke coalitie van de geschiedenis. Het Verenigd Koninkrijk en de Verenigde Staten die zich samen inzetten om het verschrikkelijke onrecht dat een weerloze blinde vrouw is aangedaan recht te zetten, een anonieme vrouw in een anoniem stadje als Watertown.'
'Nou, ik vind het een absurde toestand,' zegt hij, maar zijn interesse is gewekt.
'Als mijn plan slaagt, en het zal slagen, gaat de eer recht-

streeks naar jou, want dan ben je niet alleen een voorvechter van de gerechtigheid met het hart op de juiste plaats, maar speel je ook internationaal mee. Jij wordt de man van het jaar van *Time*.'

De kalveren zullen op het ijs moeten dansen voordat ze hem met de eer laat strijken en als iemand de man van het jaar wordt, is zij het.

'Hoe fascinerend het idee ook is dat dat blinde Britse meisje is vermoord door de Boston Strangler,' zegt de gouverneur, 'ik snap niet hoe je het in godsnaam wilt bewijzen.'

'Het tegendeel is ook niet te bewijzen. Daarom is ons succes verzekerd.'

'Ik zou maar zorgen dat je gelijk krijgt,' waarschuwt hij.

'Als het een debacle wordt, zorg ik dat het jóúw debacle is, niet het mijne.'

'Daarom moeten we dit voorlopig uit de publiciteit houden,' benadrukt Lamont weer.

Hij gaat het meteen lekken.

'We treden er alleen mee in de openbaarheid als het een succes wordt,' zegt ze.

Hij kan niet wachten.

'Waar ik van overtuigd ben, zoals ik al zei,' voegt ze eraan toe.

Natuurlijk leest hij tussen de regels door. Ze ziet aan zijn kraaloogjes hoe hij denkt, oppervlakkige, laffe sukkel die hij is. Nu wil hij dat de media zich erop storten, want volgens zijn beperkte manier van denken zal het voor haar de laatste druppel zijn als dit initiatief een fiasco wordt, en waarschijnlijk zal ze er niet meer bovenop komen. Als het een succes wordt, zal hij achteraf de eer opeisen, waarmee hij zich (en dat ziet hij dus niet) simpelweg zal manifesteren als de oneerlijke, cynische politicus die hij is. Aan het eind van de rit zal er maar één winnaar zijn, en dat is zij, bij god.

'Je hebt gelijk,' zegt de gouverneur. 'Laten we het nog even stilhouden, wachten tot het een voldongen feit is.'

Ze scheuren langs Richie's Slush met het dak met zuurstokstrepen aan Revere Beach Parkway naar Chelsea.

'Niet te verwarren met Chelsea in Londen,' zegt Stump.

'Is dat weer zo'n ingewikkelde literaire verwijzing van je?' zegt Win.

'Nee, gewoon een mooie, ultrahippe buurt in Londen.'

'Ik ben nooit in Londen geweest.'

Chelsea in Massachusetts, op drie kilometer van Boston, is een van de armste steden van het gemenebest, heeft een van de hoogste aantallen illegale immigranten van de staat en ook de hoogste misdaadcijfers. Meertalig, multicultureel, overbevolkt en vervallen; de mensen kunnen er niet met elkaar overweg en hun meningsverschillen leiden vaak tot gevangenisstraf of de dood. De bendes zijn er een stelende, verkrachtende en moordende plaag, domweg omdat ze hun gang kunnen gaan.

'Een voorbeeld van wat er gebeurt wanneer mensen elkaar niet begrijpen,' zegt Stump. 'Ik heb ergens gelezen dat er hier negenendertig talen worden gesproken. De mensen kunnen niet met elkaar communiceren, minstens een derde is analfabeet. Ze vatten iets verkeerd op en voordat je het weet wordt er iemand op straat in elkaar geslagen, neergestoken of doodgeschoten. Spreek jij Spaans?'

'Een paar onmisbare woorden, zoals *no*. Dat is Spaans voor nee,' zegt hij.

Naarmate Stump dichter bij het donkere, deprimerende hart van de stad komt, geleid door de aan de achteruitkijkspiegel bungelende gps die haar naar links en rechts stuurt, wordt de omgeving steeds armetieriger: straat na straat met vervallen huizen met tralies voor de ramen, veel wisselkantoren, autowasserijen. Ze komen in een industriegebied dat in de hoogtijdagen van de maffia de ideale plek was om lijken te dumpen, een smerige, griezelige vlakte met roestende loodsen, magazijnen en vuilstortplaatsen. Sommige bedrijven zijn legaal, zegt Stump. De meeste zijn een dekmantel voor drugshandel, heling en andere schimmige activiteiten zoals het laten 'verdwijnen' van auto's, vrachtwagens, motorfietsen en kleine vliegtuigen.

'Zelfs een keer een jacht,' voegt ze eraan toe. 'Een gast die op het verzekeringsgeld uit was, sleepte hem hierheen, liet er een blokje van persen en beweerde dat zijn boot was gestolen.'

Zijn iPhone gaat weer. Hij kijkt op het schermpje. NUMMER ONBEKEND. Zo krijgt hij Lamonts nummer altijd door. Hij neemt op en hoort de stem van *Crimson*-verslaggever Cal Tradd in zijn oor.

'Hoe kom je aan mijn nummer?' vraagt Win.

'Monique zei dat ik je moest bellen. Ik moet je vragen stellen over de zaak-Janie Brolin.'

Dat vervloekte rotwijf. Ze had beloofd dat er niets zou uitlekken voordat de zaak was opgelost.

'Hé, het is belangrijk,' vervolgt Cal. 'Ik moet verifiëren dat je een speciale opdracht hebt en dat er een verband is met de Boston Strangler.'

'Rot op, man. Hoe vaak moet ik je nog zeggen dat ik geen verslaggevers te woord sta...'

'Heb je naar de radio geluisterd, tv gekeken? Je baas is des duivels. Iemand heeft dit gelekt, en ik vermoed dat het uit het kantoor van de gouverneur komt. Ik zal geen namen noemen, maar laat ik het erop houden dat ik een paar idioten ken die daar werken...'

'Ik verifieer niks.' Win verbreekt de verbinding en zegt tegen Stump: 'Het nieuws staat er bol van.'

Ze zegt niets terug, want ze heeft het te druk met rijden en de gps vervloeken, die haar opdraagt te keren.

6

Stump parkeert in een achterafstraatje waar ze goed zicht hebben op DeGatetano & Sons, een schroothandel met bergen verwrongen metaal achter een rasterhek met scheermesdraad langs de bovenrand.

'Zie je waar we zijn?' vraagt ze.

'Dat zag ik al voordat we er waren. Denk je dat ik de hele dag in koffietenten in Cambridge rondhang?' zegt Win.

Ruig ogende klanten komen aanrijden met vrachtwagens, bestelbussen en auto's die allemaal volgeladen zijn met aluminium, ijzer, messing en, uiteraard, koper. Kerels die schichtig om zich heen kijken vullen boodschappenkarren en duwen ze de hal in, waar ze in het rumoerige duister opgaan.

'Een Taurus in een achterafstraatje?' vervolgt ze. 'We hadden net zo goed in een Boeing 747 kunnen zitten. Misschien moeten we op onze omgeving letten, want die let zeer zeker op ons.'

'Misschien moet je minder opvallen,' zegt hij.

'Dat doen afschrikmiddelen. Die vallen op.'

'Ja, hoor. Alsof je kakkerlakken verjaagt. Je maakt ze bang, ze rennen van de ene hoek naar de andere en uiteindelijk zitten ze weer in de hoek waar ze begonnen zijn. Waarom heb je me hierheen gebracht?'

'Kakkerlakken verjagen, dat is precies de indruk die ik wil wekken. Ze moeten denken dat ik het op kruimel-

dieven heb gemunt. Bouwvakkers, installateurs, aanne-
mers, het tuig dat metaal van bouwterreinen klauwt. Een
klein deel is schroot, het grootste deel niet. Ze brengen
het hierheen, hoeven zich niet te legitimeren, niemand
vraagt iets, er wordt contant afgerekend en de cliënten
die ze bezwendelen hebben geen idee. Herinner me eraan dat ik nooit een huis ga laten renoveren of bouwen.'
'Als je hier regelmatig komt, waar heb je die gps dan
voor nodig?' vraagt hij.
'Oké, mijn oriëntatievermogen is erbarmelijk. Ik heb het
niet eens.' Het klinkt alsof ze de waarheid spreekt. 'En
ik zou het op prijs stellen als dat onder ons bleef.'
Win ziet een magere persoon in slobberende kleren met
een honkbalpetje op uit een pick-up klauteren die hoog
is opgetast met koperen dakbedekking, leidingen en ge-
butste regenpijpen.
'Ongeorganiseerde misdaad, noem ik het,' zegt Stump.
'In tegenstelling tot de goeie ouwe tijd toen ik in Watertown opgroeide. Toen kende iedereen elkaar en iedereen
at in hetzelfde restaurant als de maffia, die kerels die met
Kerstmis aan je oma dachten of je een ijsje gaven. Eerlijk
zeggen? Zij hielden de straat vrij van uitschot. Inbrekers,
verkrachters, pedofielen? Die belandden met afgehakte
hoofden en handen in de rivier de Charles.'
De magere gestalte naar wie hij kijkt, blijkt een vrouw
te zijn.
'De georganiseerde misdaad was een goede zaak,' vervolgt Stump. 'Die lui hadden tenminste nog een ereco-
de, die deden niet aan het aftuigen van oude vrouwtjes,
autokapingen, huizen binnendringen, kleine kinderen
mishandelen, je door je kop schieten voor je portemonnee. Of zonder enige reden.'

De magere vrouw duwt twee lege karretjes naar haar pick-up.

'Koper. Het doet momenteel ongeveer acht ruggen per ton op de Chinese zwarte markt,' schakelt Stump, die Wins blik volgt, plotseling op iets anders over. 'Begin je nu te begrijpen waarom ik je hierheen heb gebracht?'

'Lappen Lijs,' zegt hij. 'Of hoe ze ook in het echt heet.' Ze laadt koper in een kar.

'Superdief,' zegt Stump.

'Die malloot?' zegt Win ongelovig.

'O, ze steelt wel, maar het gaat me niet om haar. Ik wil de man die de grote kraken zet. Hij stript gebouwen van leidingen, regenpijpen en dakbedekking. Hij trekt kilometers kabel van elektriciteitsleidingen, hij steelt van bouwplaatsen en uit bestelwagens van telefoonmaatschappijen. Misschien zit hij in feite in de drugshandel, koopt hij er Oxycontin voor en verkoopt hij dat op straat. Dat doet rond de dollar per milligram, tegenwoordig. Drugscriminaliteit leidt tot andere criminaliteit en uiteindelijk tot geweld, ook moord.'

'En jij denkt dat Superdief zijn gestolen koper hier slijt,' veronderstelt Win.

'Hier ergens, ja. Bij dit uitgelezen etablissement? Het zal wel een van de vele voor hem zijn.'

Win kijkt naar Lappen Lijs en zegt: 'Een informant, neem ik aan?'

'Hè, hè, je snapt het,' zegt Stump.

Lappen Lijs lijkt zich totaal niet onbehaaglijk te voelen achter haar kar, alsof ze in de gevaarlijke schrootwereld van Chelsea thuishoort.

'Waarom denk je dat de grote diefstallen door een en dezelfde worden gepleegd?' vraagt Win.

'Vanwege een consequente aanwijzing op de meeste plaatsen delict. Volgens mij maakt hij foto's. We hebben verpakkingen van wegwerpcamera's gevonden, elke keer hetzelfde merk. De Solo H_2O. Waterdicht, met flits, kost rond de zestien dollar in de winkel, als ze er zijn. En op internet kost hij zes, zeven dollar. De dader laat ze in het volle zicht op de pd achter.'

Het herenhuis aan Brattle Street. Het vandalisme, de ontbrekende koperen regenpijpen en goten, de losgetrokken leidingen en de verpakking van de Solo H_2O-wegwerpcamera in de keuken van een huis waar Win aanwijzingen heeft gevonden die er, naar hij vreest, opzettelijk zijn achtergelaten, aanwijzingen die naar hem zouden kunnen leiden. Hij vertelt Stump bijna over zijn gestolen sporttas, maar houdt zich in. Hoe moet hij weten wie hier wat doet? Hij zit verstrikt in een web van connecties, en de spin die aan de touwtjes trekt, is Lamont.

'Heb je vingerafdrukken op de verpakkingen gevonden?' vraagt hij.

'Helaas. De gebruikelijke reagentia waren niet bruikbaar op het papier en we hebben geen afdrukken op het plastic kunnen vinden met secondelijm. Dat je een afdruk niet ziet, wil natuurlijk nog niet zeggen dat hij er niet is. Misschien hebben de labs meer geluk, want die beschikken onmiskenbaar over meer ruimtevaarttechnologie dan ik. Mochten ze er ooit aan toekomen.'

Hij vraagt bijna of ze ooit van een bv heeft gehoord die FOIL heet, maar hij durft het niet. Lamont is meer dan een uur in dat verlaten victoriaanse herenhuis geweest. Met wie? Wat heeft ze er gedaan?

'Mag ik je iets vragen, omwille van de hypothese?' zegt

hij. 'Waarom zou een koperdief foto's maken op zijn pd's?'

'Het eerste wat bij mij opkomt,' antwoordt ze, 'is dat hij erop geilt.'

'Zoiets als die bankrover van jou die erop zou kunnen kicken keer op keer hetzelfde briefje achter te laten? Iemand die erop kickt met zichzelf te pronken, iedereen te laten weten dat het telkens dezelfde dader is, zonder ooit een vingerafdruk of zelfs maar een gedeeltelijke vingerafdruk achter te laten, terwijl je op de bewakingsvideo's kunt zien dat hij geen handschoenen aanheeft?'

'Insinueer je dat het één en dezelfde zou kunnen zijn? Van de bankovervallen en de koperdiefstallen?' vraagt ze sceptisch.

'Ik weet het niet, maar delinquenten die met hun misdrijven pronken en de politie uitdagen, zijn geen dagelijkse kost. Het is dus hoogst ongebruikelijk dat je in dezelfde regio twee misdaadgolven tegelijk hebt, beide met de soort signatuur die ik net heb beschreven.'

'Ik wist niet dat je ook nog eens *profiler* was, los van al je andere talenten.'

'Ik probeer gewoon te helpen.'

'Ik heb je hulp niet nodig.'

'Wat doe ik hier dan? Je had me gewoon kunnen vertellen dat die lijpe Lappen Lijs een informant van je is, dan had ik begrepen waarom ik uit haar buurt moet blijven. Je had het me niet hoeven laten zien.'

'Zien is geloven.'

'Ga je nog zeggen hoe ze heet, of moet ik haar de rest van mijn leven Lappen Lijs blijven noemen?'

'Je blijft haar niet de rest van je leven zien, dat geef ik je op een briefje. Ik ga je niet vertellen hoe ze heet, en dit zijn de regels.' Stump kijkt naar de overkant van de straat. 'Je hebt haar nog nooit gezien, en zij heeft ons nooit gezien en heeft daar ook geen behoefte aan. We zijn hier omdat ik hier toevallig langskwam. Niks bijzonders. Dat doe ik wel vaker, zoals ik al heb uitgelegd.'

'Ik neem aan dat jij ook gaat doen alsof je haar niet kent?'

'Dat heb je goed gezien.'

Lappen Lijs duwt haar kar de hal in.

'De vent die hier de baas is, heet Bimbo. De grootste zuiplap van Chelsea. Hij denkt dat we maten zijn. Kom mee,' zegt Stump.

Ze stappen uit de auto en steken de straat over, van alle kanten door ogen gevolgd. In de smerige, rumoerige hal werken mannen die metaal sorteren en schoonmaken, het verzagen en ontdoen van schroeven, moeren, bouten, spijkers en isolatiemateriaal. Ze gooien het met veel gerammel en gekletter op stapels. Lappen Lijs zet haar kar met koper op een weegschaal in de vloer, zo een die in mortuaria wordt gebruikt om lijken te wegen, en er komt een man uit een zwijnenstal van een kantoortje. Hij is klein, met zwart haar dat dik in de gel zit en een lichaam dat is opgepompt met anabolen, zo compact als een baal hooi.

Hij zegt iets tegen Lappen Lijs, die de hal uit slentert Dan wenkt hij Stump en zegt: 'Alles kits?'

'Ik wil je aan iemand voorstellen,' zegt ze.

'O ja? Nou, ik heb hem al eens gezien. Misschien ken ik hem uit de krant,' zegt Bimbo.

'Dat komt doordat hij van de staatspolitie is. Hij is met zijn kop in de krant en op tv geweest omdat hij vorig jaar iemand moest doden.'

'Er staat me iets van bij. Die vent die de aanklager naait.'

'Als hij niet oké was, zou hij hier niet zijn,' zegt Stump over Win.

Bimbo kijkt hem aan en beslist dan: 'Als jij zegt dat hij oké is, geloof ik je.'

'Hij zou een probleempje in Lincoln hebben gehad. Eergisteren. Het was weer raak, en je weet waar ik het over heb,' zegt Stump.

'Er komt van alles binnen,' zegt Bimbo. 'Waar was het precies?'

'Een kast van een huis, vier miljoen dollar. Vlak voordat ze de muren zouden afwerken, heeft iemand alle elektriciteitsleidingen geklauwd. Nu moet de aannemer het huis vierentwintig uur per dag laten bewaken om te voorkomen dat het weer gebeurt.'

'Wat wil je van me?' Bimbo haalt zijn massieve schouders op. 'Het koper vertelt me niet waar het vandaan komt. Ik heb de afgelopen dagen veel bedrading binnengekregen, en het zit al in de smeltoven.'

Lappen Lijs duwt een tweede kar met schrootkoper de hal in en zet hem op de weegschaal. Ze besteedt geen aandacht aan Stump of Win. Ze zijn lucht voor haar.

'Ik zal eens opletten,' zegt Bimbo tegen Stump. 'Dat soort gedoe is het laatste waar ik behoefte aan heb. Ik heb hier een fatsoenlijke handel.'

'Juist. Fatsoenlijke handel,' zegt Stump terwijl ze samen met Win wegloopt. 'Het enige hier wat niet gejat is, is de stoep, verdomme.'

'Je hebt me net aan dat stuk tuig verraden,' zegt Win kwaad als hij in haar auto stapt.

'Zolang het Bimbo koud laat wie jij bent, kan het verder ook niemand iets schelen. En hij kent je nu, dankzij mij.'

'Ik hoef jou niet te bedanken. Je verraadt me niet zonder mijn toestemming.'

'Je bent nu op het territorium van het FRONT. Je bent hier te gast en wij maken de regels, niet jij.'

'Jouw territorium? Piep je nu anders? Ik meen me te herinneren dat je vanochtend nog hebt gezegd dat je me niet op jouw terrein wilde hebben. Je hebt me zelfs meer dan eens gezegd dat ik moest oprotten.'

'Dat ik je aan Bimbo heb voorgesteld, hoort erbij. Hij weet nu dat je bij mij hoort, dus als hij, of iemand anders, je nog eens ziet, zal hij er niet moeilijk over doen.'

'Waarom zou hij me ooit nog te zien krijgen?'

'De kans dat er iemand wordt vermoord, zit hier in een klein hoekje. Dit is dus jouw jurisdictie en ik heb je net van een paspoort voorzien. Je hoeft me niet te bedanken. En mocht je nog niet begrijpen wat ik over Lappen Lijs heb gezegd? Je weet nu dat ik het meen. Blijf uit haar buurt.'

'Zeg dan tegen haar dat ze me geen briefjes meer moet schrijven.'

'Dat heb ik al gedaan.'

'Je zei dat ze steelt. Komt ze zo aan dat koper?'

'Het koper dat je haar net hebt zien uitladen, is niet gestolen. Ik heb een vriend, een aannemer, die me helpt. Ik geef haar genoeg koper om een of twee keer per week naar Bimbo te kunnen gaan.'

'Weet Bimbo dat ze een verlinker is?'

'Dat zou het doel dwarsbomen.'

'Ik vraag of hij of iemand anders verdenkingen heeft.'

'Waarom? Ze zit in het wereldje, al jaren. Doodzonde. Ze komt uit een goede familie, maar is aan de drugs geraakt, zoals zoveel jongeren. Heroïne, *oxy*'s. Uiteindelijk ging ze de hoer spelen en jatten om haar gebruik te bekostigen. Ze heeft twee jaar gezeten voor het neersteken van haar pooier – de grote fout was dat ze die klootzak niet heeft vermoord. Ze was nog niet vrij of ze begon weer. Ik heb haar naar een afkickkliniek gestuurd en daarna een beschermde woonvorm voor haar geregeld. Kort en goed: ze is waardevol voor me en ik wil niet dat ze doodgaat.'

Ze rijden langs meer roestige loodsen en hotsen over een spoorbaan. Stumps mobieltje gaat een paar keer, maar ze neemt niet op.

'Een paar jaar geleden ben ik er een kwijtgeraakt,' vervolgt ze. 'Verlinkt door een rechercheur die seks met haar had gehad. Hij besloot haar in een verklaring te noemen. Hij was bang dat ze hem erbij zou lappen, dus was hij haar maar vóór, zodat niemand haar meer zou geloven. Ze kreeg prompt een kogel door haar kop.'

Haar mobieltje gaat weer en ze legt het met een druk op een toets het zwijgen op. Het is de vierde keer sinds ze van de schroothandel zijn gekomen, en ze kijkt niet eens op het schermpje om te zien wie het is.

De labs van de staatspolitie hebben een simpel, maar elementair protocol: aanwijzingen die ter onderzoek worden aangeboden, moeten onomstotelijk verband houden met een misdrijf.

Wat Win in zijn papieren zakken heeft, houdt met niets anders een onomstotelijk verband dan met zijn eigen angsten, zijn eigen gevoel dat hij onder druk staat. Als Lamont verwikkeld is in iets sinisters en hem erbij wil betrekken, wil hij dat privé uitzoeken voordat hij in actie komt. Fantasierijk als hij is, is het het waaróm dat hem voor een raadsel stelt en hem van zijn stuk brengt. Waarom zou iemand bij oma inbreken en niet meer stelen dan zijn sporttas? Waarom zou de dader zelfs maar weten dat oma bestaat, of dat Win bijna elke dag een kijkje bij haar komt nemen, of dat hij zijn sporttas bij haar achterlaat vanwege haar wasserijmagie, of dat ze zelden haar deuren afsluit of haar alarm inschakelt, waardoor het geen kunst is om binnen te dringen, iets weg te grissen en ervandoor te gaan?

De balie van het lab wordt bemand door een zekere Johnny, die helemaal opgaat in wat hij op zijn computerscherm ziet.

'Alles goed?' zegt Win.

'Heb je dat gezien?' Hij wijst naar het scherm. 'Ongelooflijk.'

Hij speelt de YouTube-clip af van Lamont op de dames-wc. Win had er nog niet eens van gehoord, en hij ontleedt de beelden zorgvuldig. Een groen Escada-pakje, een struisvogelleren tas van Gucci met bijpassende schoenen met hoge hakken, onmiskenbaar gefilmd in de John F. Kennedy School of Government. Hij herinnert zich dat ze hem een paar minuten na haar lezing heeft weggestuurd om een latte voor haar te halen en dat hij haar vervolgens een uur niet heeft gezien. Het doet er niet toe, redeneert hij. Het kan iemand weinig moeite hebben gekost zich op de wc's te verstoppen, mits hij of zij alles van tevoren had bekokstoofd, en het is wel duidelijk dat iemand hier goed over heeft nagedacht. Vooruitdenken. Lamont in de gaten houden en zodra ze op weg ging naar de wc, kijken of er verder niemand was en in een cabine duiken. Het moet een vrouw zijn geweest. Of iemand die zich als vrouw had verkleed.

Het kan een man zijn geweest, als er niemand keek.

'Wat een rotstreek,' zegt Johnny. 'Als iemand mijn vrouw zoiets flikte, zou ik hem vermoorden. Je schijnt het trouwens druk te krijgen. Mick is nog geen uur geleden bij de chef geweest vanwege die... Hoe heet ze ook alweer? Die vermoorde vrouw van de blindenschool die zo in het nieuws staat.'

'Janie Brolin.'

'Ja, die.'

'Waarschijnlijk heeft Lamont Mick hierheen gestuurd omdat ze zich ongerust maakt om vermeende aanwijzingen, al kan ik me niet voorstellen dat er nog iets tastbaars van die zaak bewaard is gebleven. Desondanks zal ze zeker willen weten dat de analisten hier niet met de pers gaan praten,' zegt Win. 'Dat denk ik tenminste.'

'Ik ook. Maar ik moet het haar nageven. Wauw.' Hij schudt zijn geschoren kop en kijkt weer naar Lamont op YouTube. 'Ze is zo koud dat je vergeet dat ze heet is, vat je? Ze heeft een lekker stel...'

'Is Tracy er ook?' vraagt Win.

'Ik zal haar oppiepen.' Hij kan zijn ogen niet afhouden van Lamont in de wc-ruimte.

Tracy is er, en Win loopt door een lange gang, voorbij de inname van aanwijzingen, naar de afdeling Technisch Onderzoek, waar zij achter haar computer zit te kijken naar twee naast elkaar afgebeelde vergrote vingerafdrukken met pijltjes die details aangeven die ze visueel vergelijkt.

'We zijn het niet eens,' zegt ze zonder op te kijken.

Win zet zijn papieren zakken neer.

Ze wijst eerst naar de linkerkant van het scherm, dan naar de rechter. 'De computer telt drie papillairlijnen tussen die twee punten, ik vier. Zoals gewoonlijk ziet de computer niet wat ik zie. Mijn schuld, ik had haast, heb de afdruk niet eerst schoongemaakt maar meteen door *auto-encode* gehaald. Maar goed, wat kan ik voor je doen? Want als jij met bruine papieren zakjes komt aanzetten, is dat een aanwijzing.'

'Ik heb een soort van officiële zaak en een zaak die helemaal niet officieel is, dus eigenlijk kom ik je gewoon een gunst vragen.'

'Wie, jij?'

'Ik kan je geen nadere informatie geven.'

'Ik wil het niet eens weten. Dat is slopend voor mijn objectiviteit en versterkt mijn gevoel dat iedereen in wezen slecht is.'

'Goed. Een Fresca-blikje dat ik laatst uit een afvalbak heb gevist. Een briefje van Lappen Lijs en een envelop, niet lachen. Afdrukken op de envelop. Ze kunnen van mijn hopeloze huisbaas zijn, wiens vingerafdrukken je in de database hebt zitten om hem te kunnen uitsluiten, aangezien hij al vaker met zijn vingers aan aanwijzingen heeft gezeten. Ik heb niet aan het briefje gezeten en er bestaat niet echt twijfel over wie de afzender is, maar ik wil het toch laten onderzoeken, ook op eventueel DNA op de plakstrook van de envelop en op het blikje, als je je maatjes van DNA zo gek kunt krijgen. Dan heb ik nog een kaars en een fles wijn, een uitstekende pinot, waar mijn vingerafdrukken op kunnen zitten. En misschien die van de vrouw die me de fles heeft verkocht, maar haar vingerafdrukken zitten ook in de database om haar te kunnen uitsluiten, aangezien ze ook bij de politie werkt. Ik heb foto's van schoensporen en de 9 mm-patroon die ik als schaal heb gebruikt. Ik had geen liniaal bij de hand, sorry.'

'En wat wil je dat ik met die schoensporen doe?'
'Vasthouden, voorlopig, voor het geval we iets vinden om ze mee te vergelijken.' Zoals zijn eigen paar gestolen Prada-schoenen, mochten die ooit nog boven water komen. 'Ten slotte,' zegt hij, 'heb ik hier nog de verpakking van een wegwerpcamera.'
'We hebben er meer gekregen de laatste tijd, van verschillende korpsen, allemaal in Middlesex.'
'Ik weet het, maar de regiopolitie denkt dat jullie de moeite niet willen nemen ernaar te kijken.'
'Dat wil ik ook niet,' zegt ze. 'De jongens van hun eigen technische recherche hebben er niets op gevonden en de boel toch maar opgestuurd, in de hoop dat wij kunnen toveren, denk ik. Misschien kijken ze te veel tv.'
'Heb je het over de technische recherche van het FRONT?'
'Waarschijnlijk,' zegt ze.
'Nou, dat is maar één jongen, en die is nog een vrouw ook, en ze gelooft niet in toverij,' zegt Win. 'En aangezien de verpakking van mijn wegwerpcamera hetzelfde is als die van de andere die je al hebt, kunnen we er misschien een prioriteit van maken, een nu-doen-ding, zeg maar. En ik heb een idee.'
'Als jij hier komt aanzetten met je snoepzakken, is het altijd een nu-doen-ding, en je hebt altijd ideeën.'
'Wat zou een koperdief volgens jou overal op zijn lichaam hebben zitten, ook op zijn handen?' vraagt Win.
'Vuil. Aangezien hij waarschijnlijk vieze, ouwe, verroeste goten aanraakt, dakbedekking, allerlei troep op bouwplaatsen...'
'Laat dat vuil maar zitten. Ik heb het over iets wat niet zichtbaar hoeft te zijn,' zegt Win. 'Ik heb het over microscopisch kleine deeltjes.'

'Wil je dat ik die stomme cameraverpakkingen onder de microscoop leg?'

'Nee,' zegt hij. 'Ik wil dat je met luminol test, alsof je bloedsporen zoekt.'

Net als hij een ijskoffie bestelt bij Starbucks, voelt hij iemand achter zich. Hij kijkt om. Het is Cal Tradd.

Hij heeft tenminste het fatsoen geen gesprek aan te knopen in een openbare gelegenheid. Win rekent af, grist servetten en een rietje van de toonbank, gaat naar buiten en wacht op de confrontatie die eerder had moeten komen. Een paar minuten later komt Cal tevoorschijn, nippend van zo'n koffiedrankje dat op softijs lijkt, hoog opgetast met slagroom en chocola, bekroond door een kers.

'Volg je me soms?' vraagt Win. 'Ik voel me namelijk gevolgd.'

'Ben ik zo doorzichtig?' Hij neemt een lik slagroom. Hij heeft een mooie zonnebril op, een Maui Jim van rond de driehonderd dollar. 'Ik was toevallig op weg naar het politiebureau. Net als jij, waarschijnlijk. Anders zou je volgens mij je toch al gekwelde zenuwen niet nog erger kwellen met een paar espresso's in een Starbucks in het gocie ouwe Watertown. Maar goed, ik zag je auto staan.'

'O? Hoe wist je dat het de mijne was?'

'Ik ken je appartementencomplex. Ik had er zelfs bijna een appartement gehuurd in mijn eerste jaar. Op de eerste verdieping, aan de zuidkant, met uitzicht op dat piepkleine achterplaatsje waar Farouk je je Ducati laat stallen, je Harley, je Hummer, dit geval...' – hij wijst naar de Buick – '... of waar je je ook maar mee of in verplaatst.'

Win kijkt hem aan, zonnebril in zonnebril.

'Vraag het maar aan Farouk. Hij kent me nog wel,' zegt Cal. 'Een mager blond jochie met een moederkloek die besloot dat haar dierbare, frêle zoontje met geen mogelijkheid in dat oude schoolgebouw kon wonen. Niet dat het in een gevaarlijke buurt staat, niet echt, maar je weet dat mensen oordelen op basis van iemands voorkomen, gedrag en socio-economische status. En moet je mij zien: rijk, musicus, schrijver, haalt alleen maar tienen, ziet er nichterig uit. Dat vráágt gewoon om zinloos geweld.' Hij steekt zijn tong weer in de slagroom. 'Ik heb je trouwens gezien, die noodlottige dag. Niet dat je het je zou moeten herinneren, maar toen we weggingen, draafde jij langs, sprong in je Crown Vic en scheurde weg. En mijn moeder zei: "Lieve god in de hemel, wie is die beeldschone man?" De wereld is klein, hè?'

'Bewaar je theorie dat we allemaal maar zes stappen van elkaar verwijderd zijn maar voor een ander. Ik praat niet met je,' zegt Win.

'Ik heb je niet gevraagd te praten. Je zou beter kunnen luisteren.' Hij kijkt naar het verkeer in Mt. Auburn Street, een belangrijke doorgangsroute van Watertown naar Cambridge.

Win maakt zijn portier open.

Cal zuigt aan zijn rietje en zegt: 'Ik werk aan een onderzoeksserie over koperdiefstal, een groot internationaal probleem, zoals je vast wel weet. Ik ben op een gestoorde vrouw gestuit. In sommige opzichten heel gewiekst, in andere oerstom en al met al gewoon gek.'

Lappen Lijs, denkt Win.

'Ik heb haar op plaatsen en in situaties gezien waarvan mijn voelsprieten recht overeind gaan staan, kaarsrecht,' vervolgt Cal. 'Dan hebben we die Bimbo nog.

Een soort Ali Baba, een stuk tuig. Ik heb hem een paar keer geïnterviewd. Goed, dus een uur of drie geleden meld ik me weer bij zijn rovershol om nog wat te praten, en daar zie ik haar net geld van hem aannemen. Diezelfde malloot die ik op Harvard Square heb zien rondhangen, excentriek gekleed, net Lappen Lijs. Dezelfde malloot die ik een paar keer bij Monique heb zien rondhangen.'

'Rondhangen? Hoe bedoel je?' Win leunt tegen zijn auto en slaat zijn armen over elkaar.

Cal schokschoudert en neemt een slokje choco-koffie. 'Op plekken waar Monique lezingen gaf of persconferenties hield, bij de rechtenfaculteit, bij de rechtbank. Ik heb die vreemde vrouw de afgelopen weken minstens vijf keer gezien, en altijd had ze gestreepte kousen en kistjes aan. Ik stond er niet bij stil, tot ik haar vandaag bij de schroothandel herkende. Heel anders gekleed, in slobberige kleren en met een honkbalpetje op. Ze kwam oud koper verkopen. Ik dacht dat je dat wel zou willen weten.'

'Heb je hoe-heet-hij naar haar gevraagd?'

'Bimbo? Nou en of. Hij zei wat ik al verwachtte. Hij wist niets van haar. Met andere woorden, ze verkoopt gestolen waar, toch?'

'En toen?'

'Ik heb haar een tijdje gevolgd. Ze heeft een vw busje uit de hippietijd met gordijntjes voor de ramen, waarschijnlijk slaapt ze in het kreng. We waren de brug over de Mystic nog niet over toen ik het gevoel kreeg dat ik werd gevolgd. Door een andere bus. Een van een aannemer, misschien had ik hem bij Bimbo al gezien. Dus ik maakte dat ik wegkwam, ben bij Charlestown afgeslagen.'

'Wil je zeggen dat de onbevreesde verslaggever de jacht heeft opgegeven?'

'Die koperboeven in Chelsea, neem je me in de maling?' zegt Cal. 'Als je die in de weg zit, beland je met een doorgesneden strot in de kofferbak van een auto.'

7

Een brigadier laat Win in een benauwde, dompige, slecht verlichte ruimte met niets anders erin dan oude metalen archiefkasten en planken vol stoffige logboeken en dozen. De archiefruime van de politie van Watertown bevindt zich in een voormalige bankkluis onder het cellencomplex.

'Jullie hebben zeker geen catalogus van alles hier?' vraagt Win.

'O, wat spijt me dat. De bibliothecaresse heeft zich vandaag ziek gemeld en haar tien assistentes hebben vakantie. Je zoekt wat je wilt hebben en pakt het. Geen fotokopieën. Geen foto's. Je mag aantekeningen maken, meer niet.'

De lucht is zwaar van het stof en de geur van schimmel. Win krijgt nu al een verstopte neus.

'Als ik nou eens gewoon pakte wat ik zocht en jij me ergens boven zette? Misschien in de recherchezaal?' zegt Win. 'Een verhoorkamer is ook goed.'

'Jezus, je hebt weer pech. De Verenigde Naties zitten hier in de vergaderkamer. De gegevens blijven hier, dus als je ze wilt zien, moet jij ook hier blijven.'

'Is er niet meer licht?'

Van de twee tl-buizen is er een kapot en de andere levensmoe.

'Dat geloof je toch niet? Al onze onderhoudsmensen staken.' De brigadier verdwijnt met zijn grote sleutelring.

Win knipt zijn zaklamp aan en schijnt ermee over planken vol grote logboeken van tientallen jaren her, tot in
de jaren twintig. Er is geen beginnen aan. Zonder fotokopieën zal hij zich nooit door de gegevens heen kunnen werken; alsof hij zich een weg door de jungle moest
banen zonder machete. Onder normale omstandighe-
den, als hij genoeg tijd heeft, lukt het hem dicht bedrukte
vellen vol informatie door te nemen, of, nog beter, heeft
hij het zo *druk* dat hij ze door een van de administratief
medewerkers laat voorlezen op een cd, die hij als audio-
bestand op zijn computer zet. Het is verbijsterend waar
hij allemaal naar luistert als hij in de auto zit, traint of
jogt. Tegen de tijd dat hij voor de rechtbank moet getuigen, heeft hij elk relevant detail in zijn geheugen ge-
prent.

Hij klimt op een trapje, pakt het logboek van 1962, zoekt
een werkplek, neemt genoegen met een open archiefla,
legt het logboek erop en begint erin te bladeren. Hij krijgt
een niesbui, zijn ogen prikken en hij voelt zich ellendig.
Onder de datum 4 april vindt hij de handgeschreven melding van de moord op Janie Brolin. Hij noteert de locatie van het misdrijf, te weten haar adres, want ze is in
haar appartement vermoord, en dat ene simpele feit ver-
andert het hele scenario. Hij kan het niet bevatten. Geen
mens heeft iets gemerkt? Van de Boston Strangler? Het
moet een geintje zijn. Hij trekt lades open. De zaken zijn
niet op alfabet gearchiveerd, maar op een catalogus-
nummer dat eindigt op het jaartal. Janies zaak is nummer WT218-62. Hij kijkt naar de etiketten op de lades,
trekt de goede open en vindt zo dik op elkaar gepakte
dossiers dat hij er stapels uit moet halen om te zien wat
erin zit.

Hij vindt de zaak-Brolin en bladert dan door tientallen dossiers in dezelfde la, want hij heeft lang geleden al geleerd dat het niet ongebruikelijk is dat gegevens uit het ene dossier per ongeluk in het andere belanden. Na een uur kriebels en genies, als zijn mond naar stof smaakt, vindt hij een envelop met het nummer van de zaak-Brolin erop die achter in de la is blijven steken. Er zit een vergeeld krantenknipsel in over een zekere Lonnie Parris, zesentwintig jaar oud, die is aangereden toen hij bij de Chicken Delight aan Massachusetts Avenue in Cambridge de straat overstak. De dader is doorgereden, die vroege ochtend van de vijfde april, de dag na de moord op Janie Brolin. Dat is alles. Gewoon een oud krantenknipsel.

Waarom zou een dodelijk ongeval met doorrijding het nummer van de zaak-Brolin krijgen? Hij kan het dossier van de dood van Lonnie Paris niet vinden, waarschijnlijk omdat het een zaak van de politie in Cambridge was. Hij pakt zijn iPhone, maar moet machteloos constateren dat hij vanuit deze spelonk niet op internet kan komen en zelfs niet kan bellen. Hij loopt de ruimte uit, draait een trap op en belandt in de inschrijfruimte van het cellencomplex, dat is voorzien van camera's, een blaastest, kluisjes en aan spijkers bungelende handboeien aan de muren om ervoor te zorgen dat arrestanten zich gedragen terwijl ze wachten tot ze aan de beurt zijn om hun vingerafdrukken te laten nemen en politiefoto's te laten maken.

Godver, hier heeft hij ook geen ontvangst. Hij loopt naar de vaste telefoon op het bureau, maar weet niet hoe hij naar buiten moet bellen.

'Stump? Ben jij daar?' wordt hij opgeschrikt door een luide stem.

Het is iemand in een van de cellen. Een vrouw. Vermoedelijk wordt ze hier vastgehouden tot ze kan worden overgebracht naar het cellencomplex op de bovenste verdieping van het gerechtsgebouw van Middlesex. 'Ik ben het zat, oké?' zegt dezelfde stem. 'Ben je daar?'

Win loopt langs lege cellen met zware, wijd openstaande metalen deuren. Hij vangt de zwakke ammoniakgeur van urine op. De vierde deur is dicht, en er hangt een briefje met de code Q5+ op. Zelfmoordrisico.

'Stump?'

'Ik kan haar wel voor je halen,' zegt Win, die door het raampje met gaas ervoor kijkt en zijn ogen niet gelooft. Lappen Lijs zit met gekruiste benen op een brits in een betonnen cel die niet veel groter is dan een kast.

'Alles goed?' zegt hij. 'Wil je iets hebben?'

'Waar is Stump? Stump moet komen!'

Aan de wand naast de deur hangt een munttelefoon voor arrestanten. Die heeft een directe buitenlijn, en in het raamkozijn ertegenover staat een flacon ontsmettingsmiddel.

'Ik heb honger!' zegt ze.

'Waarom hebben ze je opgesloten?'

'Geronimo,' zegt ze. 'Ik ken jou.'

Nu hij haar accent hoort, schiet hem weer te binnen wat Farouk over de zogenaamde chimeid heeft gezegd. Een blanke vrouw die 'zwart' praatte.

'Ken je me? Waarvan dan? We zijn elkaar hooguit een paar keer tegengekomen,' zegt hij niet onvriendelijk.

'Ik heb jou niks te zeggen. Rot op.'

'Zal ik iets te eten voor je halen?' biedt hij aan.

'Een cheeseburger met patat en een cola light,' zegt ze.

'Nog iets toe?' vraagt Win.

'Ik eet nooit geen zoetigheid.'

Fresca, cola light, geen zoetigheid. Tamelijk ongebruikelijk voor een junk, denkt hij. De meeste herstellende heroïneverslaafden kunnen niet genoeg suiker binnenkrijgen. Het enige goede aan door een met gaas afgezet raampje kijken, is dat hij haar aandachtig kan opnemen zonder dat het te veel opvalt. Ze draagt dezelfde kleren als toen ze bij de schroothandel was. De veters zitten nog in haar sportschoenen. Ongebruikelijk voor iemand die zelfmoord zou kunnen plegen, al heeft de cel natuurlijk geen handdoekenrekken, geen tralieramen en zelfs geen hendels aan de roestvrijstalen wastafel. Niets om een riem, veters of zelfs kleding omheen te slaan als je je wilt verhangen.

Zonder haar bizarre lappenpoppenkledij lijkt ze meer op een straatmadelief die knap zou kunnen zijn als haar rode krullen niet alle kanten op piekten en als ze niet zoveel tics had. Ze plukt aan haar vingers. Likt langs haar lippen. Tikt staccato met een van haar voeten. Wat hij ook over haar heeft gehoord, hij moet wel medelijden met haar hebben. Hij weet dat geen kind ervan droomt later een drugsverslaafde prostituee of uit afvalbakken etende dakloze te worden. De meeste gekwelde zielen die zo terechtkomen als Lappen Lijs, zijn al begonnen met slechte genen, of misbruik, of allebei, en de slopende problemen die daarop volgen, zijn een hel op aarde.

Hij pakt de hoorn van het rode wandtoestel, neemt hem af met ontsmettingsmiddel en vraagt een gesprek aan, collect.

De telefoniste zegt tegen Stump dat Win Garano aan de lijn is. Wil ze de kosten op zich nemen?

'Bel je me collect?' zegt ze. 'Waar zit je?'

'In jouw cellencomplex,' zegt hij. 'Niet echt erin, bedoel ik.'

Ze verstrakt. 'Wat is er gebeurd?'

'Ik was even in je archief. Mijn iPhone deed het daar niet. Ik ging op zoek naar een vast toestel en raad eens wie er in jouw charmante pensionnetje logeert?'

'Wat heeft ze tegen je gezegd?'

'Dat ze je wil zien. Ze wil een cheeseburger. Moment.'

Het is duidelijk dat hij zich tot Lappen Lijs richt. 'Hoe wil je je cheeseburger?' Gemummel. Hij komt weer aan de lijn. 'Rosé, geen mayo, extra zuur.'

'Ik heb het nogal druk. Je zult wel vergeten zijn dat ik er wat bij schnabbel als geslaagde zakenvrouw.' Stump klemt de telefoon tussen haar schouder en haar oor en drukt een homp Zwitserse kaas tegen de schaaf.

Het is de tijd van de dag waarop de klanten allemaal tegelijk komen, en er staat een lange rij bij de delicatessen. Een vrouw staat ongeduldig bij de kassa te wachten en er komen nog eens twee mensen binnen. Het zal niet lang meer duren of ze verliest de zeggenschap over alle facetten van haar leven, dankzij Win. Die verdomde Win. Zomaar het cellencomplex binnenlopen. Dat heeft zij weer. Hij lijkt haar alleen maar ongeluk te brengen.

'Ze begint ook chagrijnig te worden,' voegt Win eraan toe.

'Ik kom eraan,' zegt Stump tegen hem. Ze kijkt naar de ongeduldige vrouw bij de delicatessen en zegt: 'Ik kom zo bij u.'

'Wat is een lekkere wijn bij gerookte zalm?'

'Een droge sancerre of moscato d'asti. Derde gangpad.'

Ze richt zich weer tot Win. 'Zeg maar tegen haar dat ik

eraan kom, maak dat je daar wegkomt en wacht op mij. Ik kan het uitleggen.'

'Kun je me vast een hint geven?'

'Bescherming. Er ontstond een probleempje nadat ik je bij je auto had afgezet.'

Het is natuurlijk niet bij haar opgekomen dat hij van plan was naar haar bureau te gaan, naar het archief. Zelfs al had ze het geweten, dan was ze er nog niet van uitgegaan dat hij het cellencomplex zou gaan bezichtigen.

'Wacht even. Ze zegt iets tegen me. O, ja. En patat, en ik was de cola light vergeten,' zegt Win.

Het gevoel dat ze ervan krijgt. Het gevoel dat hij haar bezorgt, en het wordt erger. Ze weet zich geen raad. Zo had het niet moeten gaan. Het had betrekkelijk simpel moeten zijn. Hij zou zijn opwachting maken op het bureau, Lamonts zaak onderzoeken en weer weggaan. Zelfs de baas had gezegd dat dit uit de kast getrokken onderzoek niet Stumps probleem was, dat ze het zich niet moest aantrekken en dat ze zich erbuiten moest houden. God allemachtig. In het begin ging het allemaal om Lamont. Win was een figurant, maar nu speelt hij iedereen van het toneel.

'Ik zie je over twintig minuten, een halfuur op het parkeerterrein,' zegt ze tegen hem.

Terwijl hij in oma's auto zit te wachten, stopt er een rode BMW 2002 naast hem.

'Ik ben onder de indruk,' zegt hij als Stump haar raam opendraait. '1973, en zo te zien nog de originele lak en bumpers. Verona-rood? Zo een heb ik er altijd gewild. Het zwarte leer ziet er ook nog origineel uit. Alleen de tochtstrippen en het raamvilt lijken nieuw. Van hieraf gezien, bedoel ik. Hoe lang heb je hem al? Sinds je vijfde, zesde, misschien?' Hij ziet de tas van Wendy's op de achterbank en voegt eraan toe: 'Nou, hoe is je speciale vriendinnetje voor haar eigen bescherming in de bak beland?'

'Zodra ze bij Bimbo weg was, ging ze naar Filene's.'

'Hoe verplaatst ze zich eigenlijk? Dat had ik al eerder willen vragen.'

'Met een wrak van een Mini Cooper. Ze ging naar Filene's, en daar jatte ze wat make-up en een Sony-walkman.'

'Wil ze daarom zelfmoord plegen?'

'Q5+ betekent dat ze in de gaten gehouden moet worden, maar ze is labiel, licht ontvlambaar. Precies het type dat jij liever mijdt, kortom.'

'Heeft iemand je ooit gezegd dat je niet kunt liegen?' zegt Win. 'Ze hebben geen elektronica bij Filene's, dus ze kan er met geen mogelijkheid een walkman achterover hebben gedrukt. En ik geloof niet dat ze in een Mini Cooper rijdt.'

'Waarom kun je geen signalen opvangen? Hou eens op me uit te horen over dingen die je niets aangaan.'

'Ik kan heel goed signalen opvangen, zeker als ze zo subtiel zijn als een supersone knal. Ik zal je een tip geven. Verzin geen dingen over plekken waar je nooit bent geweest, zoals grote warenhuizen die geen ruime eenpersoons paskamers en een kleine, discrete personeelsbezetting hebben. Niet dat ik ervan uitga dat je je prothese afdoet als je een spijkerbroek of zo past, maar waarschijnlijk winkel je toch op een paar selecte adresjes. Boetiekjes, vermoedelijk, waar ze je kennen.'

'Na ons vertrek bij de schroothandel ontstond er een probleem,' zegt Stump. 'Ze trok de aandacht van de verkeerde, iemand die haar volgde.'

'Heb je enig idee wie?' vraagt hij om te zien of Stump heel misschien de waarheid vertelt.

'Een bus, zei ze, een bus van een aannemer. Ze was bang dat een rotzak uit de schroothandel achterdocht had gekregen en haar was gevolgd. Ze ging over de rooie, belde mij op, en ik heb haar door een surveillanceauto laten inrekenen.'

'Op grond waarvan?'

'Ik heb gezegd dat ik een aanhoudingsbevel had, en dat zij had opgebeld om zich te laten ophalen. Wegens koperdiefstal.'

'Je zei dat het niet echt gestolen was. Dat jij het voor haar regelde in ruil voor informatie. En je kunt iemand niet arresteren zonder dat je een aanhoudingsbevel kunt laten zien...'

'Hoor eens, het ging erom dat ze beschermd moest worden, einde verhaal. Ik heb haar laten opsluiten. Als ze echt werd gevolgd, heeft haar achtervolger ruimschoots de gelegenheid gehad om te zien dat ze werd aangehouden, in de boeien werd geslagen en achter in een surveillanceauto werd gezet. Ik laat haar los zodra het donker is.'

'Houdt dit in dat ze geen bezoekjes meer aan de schroothandel gaat brengen?'

'Ze zal zich er op een gegeven moment weer moeten vertonen, anders bevestigt ze de verdenking dat er iets niet pluis is aan haar. Dat ze misschien onder één hoedje speelt met de politie. Aangenomen dat ze echt door iemand van de schroothandel is gevolgd.'

Win geeft door wat hij van Cal heeft gehoord.

'Super. Daar zit ik net op te wachten, een verslaggever die zich ermee bemoeit,' zegt ze. 'Die mensen hebben geen scrupules. Hij kan maar beter uitkijken, anders wordt hij nog vermoord. Wat doe je hier eigenlijk?'

Ze ziet er goed uit in haar rode BMW, en haar gezicht is mooi in het namiddaglicht.

'Goh, wat zijn we kort van memorie,' zegt hij. 'Ik ben hier voor mijn alledaagse opdracht, het oplossen van een moordzaak van vijfenveertig jaar geleden die verband zou kunnen houden met de Boston Strangler, al weet ik dat dat niet kan.'

'Verbijsterend, dat je dat al hebt vastgesteld. Ik zou het zelfs wonderbaarlijk noemen. Heb je het in de sterren gezien of zo?'

'Eén blik in het dossier was genoeg. Weet jij veel over de geschiedenis van de maffia in dit schilderachtige stadje van je?'

'Zoals ik al eerder heb opgemerkt, was mijn schilderachtige stadje er beter aan toe in de hoogtijdagen van de maffia. Citeer dat niet.'

'Ze woonde in een appartementencomplex aan Galen Street, op ongeveer twee minuten lopen van Piccolo's Pharmacy, die er natuurlijk niet meer is.'

'Dus?'

'In Southside. De maffiabuurt. De meeste huizen en appartementen rond Janie Brolin werden bewoond door maffiosi. Er was van alles te doen, wat je maar wilde. Loterijen, sieraden, prostitutie, illegale abortus, allemaal rond Piccolo's Pharmacy, Galen Street en Watertown Street. Waarom denk jij dat er in dat verre verleden geen misdaad was hier? Totaal niet, bedoel ik.'

'Waar heb je dat allemaal vandaan?' Ze draait de contactsleutel van de BMW om. 'Heb je de een of andere film gezien of zo?'

'Het zijn gewoon dingen die ik door de jaren heen heb opgevangen, wat boeken hier en daar. Ik zit vaak in de auto, weet je. Dan luister ik naar boeken op cassette of cd, en mijn geheugen is redelijk. Janie Brolin is op 4 april vermoord. Een woensdag. Woensdag was betaaldag, dan kwamen allerlei mensen hun geld innen bij de bookmakers. Altijd op dezelfde dag, en dan keek iedereen extra goed uit zijn doppen. Denk daar maar eens over na. Waarom was zij de uitzondering op de regel, de enige moord óóit in Southside begin jaren zestig, en dan nog op betaaldag ook? Daar komt nog bij dat de FBI de zaak heeft onderzocht. Vraag jezelf eens af of de politie en de FBI echt niet wisten wie de moord had gepleegd. Geloof je dat echt?'

Stump stapt uit haar auto en zegt: 'Ik hoop voor je dat je dit niet uit je duim zuigt.'

'Het brengt mij op het idee dat de politie erbij betrokken was. Met een doofpot, zeg maar. Ken je het oude gezegde? Belazer de maffia niet, tenzij je iemand van de maffia aan je kant hebt.'

'Vertaling?'

'Samenzwering. De krachten gebundeld. Helemaal geen lustmoord, punt uit. Weet je nog wie er president was in 1962?' zegt hij.

Ze lopen naar het politiebureau.

'Godver,' zegt ze. 'Nu maak je me echt bang.'

'Precies. John F. Kennedy. Daarvoor was hij senator in Massachusetts, hier in Brookline geboren. Je kent de theorieën rond de aanslag. De maffia. Wie weet? Waarschijnlijk zullen we er nooit achter komen, maar waar ik naartoe wil, is dat een proleet van het slag van de Boston Strangler niet eens in de buurt had durven komen van Janie Brolins appartement. En als hij te stom was om beter te weten, was hij in de Dorchester Bay terechtgekomen, zonder armen en benen en met een bijl diep in zijn borst.'

'Ik hang aan je lippen,' zegt Stump.

Een uur later zitten ze samen in de archiefruimte het dossier van de zaak-Janie Brolin door te nemen. Zij gebruikt zijn zaklamp en hij maakt aantekeningen.

'Heb jij niet zoveel macht dat we in je kamer kunnen gaan zitten of zo?' zegt Win, die weer de kriebels in zijn ogen en zijn keel heeft.

'Je snapt het niet. We zitten met zijn vieren in een klein kantoor, en dan is de huismuis er ook nog.' Ze doelt op de administratief medewerker. 'Iedereen hoort alles wat iedereen zegt. Smerissen praten, moet ik je dat nog vertellen?'

'Oké. Het weer.' Win bladert terug in zijn aantekeningen. 'Hebben we iets over het weer op 4 april?'

'Niet in deze processen-verbaal.' Stump heeft Janie Brolins opengeslagen dossier op een uitgetrokken la gelegd, net als Win eerder, omdat er geen andere werkplek is.

'In de kranten, dan?' vraagt hij.

Ze bekijkt er een paar. Oud, met vouwen die na meer dan veertig jaar messcherp zijn geworden.

'Een vermelding dat het regende toen de politie rond acht uur 's ochtends bij haar appartement arriveerde,' zegt ze. 'Laten we doornemen wat we tot nu toe weten. Janies vriendje, Lonnie Parris, tuin- en onderhoudsman van Perkins, haalde haar elke ochtend om halfacht op. Die ochtend doet ze niet open en de deur zit niet op slot. Hij gaat naar binnen, treft haar dood aan en belt de politie. Wanneer die aankomt, is Lonnie weg. Hij is van de plaats delict gevlucht, wat hem meteen tot verdachte bestempelt.'

'Waarom zou hij de politie bellen als hij haar zelf heeft vermoord?' vraagt Stump zich hardop af.

'Terug naar de feiten zoals ze in de processen-verbaal staan vermeld. Nog een vraag.' Hij bekijkt de foto's. 'Tegen de tijd dat de politie aankomt, zou het hebben geregend. Ze lopen door het hele appartement. Dat zouden ze tenminste moeten doen. Zie jij hier iets vreemds aan?'

Stump hoeft niet lang naar de foto's te kijken om het te zien. 'De vloerbedekking. Een besmettelijke kleur, crème. Het regent en al die mensen lopen in en uit? Waarom is de vloerbedekking schoon?'

'Juist,' beaamt Win. 'Misschien waren er minder politiemensen dan wij worden geacht te geloven? Misschien heeft iemand net genoeg opgeruimd om belastend bewijs te lozen? Laten we doorgaan.'

'De autopsie heeft plaatsgevonden in een uitvaartcentrum? Dat is ook ongebruikelijk, hè?' zegt Stump.

'Toen niet.' Win slaat een bladzij van zijn kladblok om. 'Doodsoorzaak: verstikking door verwurging, in dit geval met de beha die om haar nek was geknoopt.' Ze leest verder. 'Puntbloedinkjes van de bindvliezen. Bloeding op de achterkant van het strottenhoofd en het zachte weefsel rond de halswervels.'

'Dat strookt met verwurging,' zegt Win. 'Was er meer letsel? Blauwe plekken, steek- of bijtwonden, gebroken nagels, gebroken botten, wat dan ook?'

Stump leest het verslag, kijkt naar schema's en zegt: 'Zo te zien had ze kneuzingen rond haar polsen...'

'Striemen, bedoel je. Doordat haar polsen aan de stoelpoten waren vastgebonden.'

'Dat niet alleen,' zegt Stump. 'Hier staat dat ze ook kneuzingen rond haar polsen had die "veroorzaakt konden zijn door vingertoppen"...'

'Wat doet vermoeden dat hij haar polsen heeft gegrepen of ze stevig heeft vastgepakt,' zegt Win, die nog steeds aantekeningen maakt. 'Ze heeft met hem gevochten.'

'Zouden ze niet postmortaal kunnen zijn? Doordat hij met het lichaam heeft gesleept, het heeft verplaatst nadat ze dood was?'

'Iemand heeft haar polsen gepakt toen ze nog een bloeddruk had,' zegt Win. 'Als je dood bent, krijg je geen blauwe plekken meer.'

'Ze had dezelfde kneuzingen op haar bovenarmen,' zegt Stump. 'En op haar heupen, billen en enkels. Alsof ze overal waar hij haar aanraakte een blauwe plek kreeg.'

'Ga door. Wat nog meer?'

'Ze had inderdaad gebroken vingernagels,' zegt Stump.

'Afweerletsel. Ze zou hem gekrabd kunnen hebben,' zegt Win. 'Ik hoop dat ze monsters van onder haar nagels hebben genomen. Ze deden toen nog geen DNA-onderzoek, maar misschien hebben ze naar bloed gezocht om een bloedgroep te bepalen.'

De verslagen zijn er. Er zijn monsters uit verschillende lichaamsopeningen genomen. Er is geen sperma gevonden en niets onder haar nagels, vertelt Stump aan Win. Misschien hebben ze niet goed gezocht. Forensisch onderzoek verliep destijds anders, zacht gezegd.

'Is er geen toxicologieverslag?' vraagt Win, die zijn eigen, unieke steno gebruikt. Afkortingen en spelling die alleen hij kan ontcijferen. 'Wordt er iets gemeld over alcohol of drugs?'

Stump bladert een paar minuten in het dossier en vindt dan een verslag van het chemisch lab aan Commonwealth Avenue in Boston. 'Geen sporen van drugs of alcohol aangetroffen, maar dit is boeiend.' Ze laat Win een proces-verbaal zien. 'Hier staat dat ze werd verdacht van drugsgebruik.'

'Geen drugs in het appartement?' Win denkt na. Het slaat nergens op. 'Is er wel alcohol gevonden?'

'Ik ben nog aan het zoeken,' zegt ze.

'Staat er in het autopsieverslag iets wat erop wijst dat ze een geschiedenis van drugs- of alcoholmisbruik had?'

'Niet dat ik kan vinden.'

'Waarom zou iemand dan suggereren dat ze een geschiedenis van drugsgebruik zou kunnen hebben? Hoe zat het met haar afval? Is er iets tussen haar afval aangetroffen? Of in haar medicijnkastje? Wat is er van de pd meegenomen?'

'Daar gaan we,' zegt Stump. 'Een gebruikte injectiespuit met een kromme naald in een prullenbak. In de badkamer. En in het medicijnkastje een ampul met een onbekende substantie.'

'Die ampul moet naar het lab zijn gegaan. Die spuit ook. Is daar geen verslag van?'

'Aanwijzingen, aanwijzingen...' mompelt Stump terwijl ze in de mappen bladert. 'Ja, de spuit en de ampul zijn onderzocht. Geen drugs. Hier staat dat er in de ampul, ik citeer, "een olieachtige oplossing met onbekende partikels" is aangetroffen.'

'Ga door,' zegt Win, die zo snel schrijft als hij kan. 'Wat is er nog meer meegenomen?'

'Haar kleren,' leest Stump. 'Een rok, een blouse, kousen, schoenen... Ze zijn op de foto's te zien. Haar tas, haar portemonnee. Een sleutelhanger met een medaillon van Sint-Christoffel, fijn dat hij haar heeft beschermd, en twee sleutels eraan. Een van het appartement en een van haar kamer op Perkins, staat hier. Ze lagen op de vloer bij de deur. Uit haar tas gegooid.'

'Laat nog eens zien?' Win neemt alle foto's van haar over en bekijkt ze stuk voor stuk aandachtig.

De plaats delict, het mortuarium. Niets wat hem niet eerder is opgevallen, alleen wordt het scenario hem een steeds groter raadsel. Haar bed was opgemaakt en ze leek zich al te hebben aangekleed om naar haar werk te gaan toen ze werd overmeesterd. Een ampul, een gebruikte injectiespuit en een onbekende substantie. Geen drugs of alcohol in haar lichaam aangetroffen.

'Dermatitis op de romp. Uitslag,' leest Stump voor. 'Misschien een soa? Het onderzoek is uitgevoerd door een dokter William Hunter, van de afdeling Forensische Geneeskunde van Harvard.'

'Daar werden de forensisch-medische onderzoeken voor de staatspolitie gedaan,' zegt Win. 'Eind jaren dertig, begin jaren veertig. Opgezet door Frances Glessner Lee, een verbazingwekkende vrouw die zich ver voor haar tijd bezighield met forensische geneeskunde. De afdeling die zij heeft opgezet, bestaat jammer genoeg niet meer.'

'Denk je dat er nog aanwijzingen bewaard zouden kunnen zijn gebleven?' vraagt Stump. 'Misschien op het kantoor van de patholoog-anatoom in Boston?'

'Dat was er toen nog niet,' zegt Win. 'Het kwam pas begin jaren tachtig. Pathologen-anatomen van Harvard onderzochten gevallen in het kader van hun burgerplicht. Als er nog gegevens zijn, moeten ze in de Countway Medical Library van Harvard liggen, maar ze hebben daar geen opslag voor aanwijzingen. En we zouden daar jaren kunnen wroeten voordat we iets vinden.'

Hij kijkt naar foto's die in Janie Brolins slaapkamer zijn genomen. Overhoopgehaalde lades, kleding her en der op de vloer. Parfumflesjes, een borstel op een toilettafel, en nog iets. Een donkere bril.

Hij zegt verbaasd: 'Waarom dragen blinden of mensen met een visuele handicap een donkere bril?'

'Om anderen erop attent te maken dat ze blind zijn, denk ik,' antwoordt Stump. 'En uit gêne, om hun ogen te verbergen.'

'Juist. Het heeft dus niets met het weer te maken. Met de zon,' zegt Win. 'Ik zeg niet dat blinde ogen niet gevoelig zijn voor licht, maar daarom dragen blinden geen donkere bril, zelfs binnenshuis. Hier.' Hij laat Stump de foto zien. 'Als ze zich al had aangekleed om naar haar werk te gaan en wachtte tot ze werd afgehaald, waarom lag haar donkere bril dan nog in de slaapkamer? Waarom had ze hem niet op? Waarom had ze hem niet bij zich?'

'Het regende, het was een donkere, sombere dag...'

'Maar blinden dragen geen donkere bril vanwege het weer, dat heb je net zelf gezegd,' brengt hij ertegen in.

'Misschien was ze hem om de een of andere reden vergeten. Misschien was ze in de slaapkamer toen ze door iemand werd gestoord. Het kan van alles zijn.'

'Misschien,' zegt Win. 'Misschien ook niet.'

'Wat denk je?'

'Ik denk dat we een hapje moeten eten,' zegt Win.

8

Negen uur 's avonds, de FBI-vestiging in Boston. Speciaal agent McClure gebruikt de netwerksniffer van de Cyber Task Force om belangwekkend internetverkeer op te sporen.

Preciezer gezegd: data die binnen het profiel vallen van e-mail die is verzonden vanaf Monique Lamonts IP-adres en ontvangen op een ander adres, eveneens in Cambridge. Ze heeft het maar druk, de laatste tijd, en McClure moet al haar berichten doornemen, ook al kunnen ze met geen mogelijkheid iets te maken hebben met terrorisme en de verdenking dat zij terreurorganisaties financieel steunt via een Roemeense organisatie voor kinderen die heel goed gelieerd zou kunnen zijn aan een bv zonder winstoogmerk die FOIL heet. De FBI raakt er steeds sterker van overtuigd dat er een groter wordende terroristische cel in Cambridge opereert die wordt gesubsidieerd door Lamont.

McClure zou er absoluut niet van opkijken. Al die radicale studenten op Harvard, Tufts en het MIT die maar denken dat de grondwet ze het recht geeft zo'n beetje alles te doen en te zeggen wat ze willen, ook al is het anti-Amerikaans. Demonstraties tegen de oorlog in Irak houden, bijvoorbeeld, mensen op de been brengen voor de scheiding van Kerk en Staat, minachting jegens de vlag en, de meest persoonlijke krenking van de FBI, felle aanvallen op de Patriot Act, die speciaal agenten terecht in staat stelt te doen waar McClure nu mee bezig is: zonder gerechtelijk bevel een staatsburger bespioneren om andere staatsburgers te beschermen tegen terroristische aanslagen of de angst daarvoor. Begrijpelijkerwijs laten ze wel eens een steekje vallen. Soms blijkt onderzoek naar bankrekeningen, medische gegevens, e-mails en telefoongesprekken jammer genoeg de privacy te schenden van mensen die op geen enkele manier betrokken blijken te zijn bij terrorisme.

McClure ziet het echter zo: vrijwel iedereen die wordt bespioneerd, is wel ergens schuldig aan. Zoals die vertegenwoordiger van John Deere in Iowa, een paar maanden geleden, die opeens genoeg geld had om de vijftigduizend dollar schuld te betalen die hij bij verschillende creditcardmaatschappijen had uitstaan. Toen zijn rekening automatisch door het systeem werd opgemerkt, onthulde nader onderzoek dat de neef van de kamernoot van een van zijn achterneven was getrouwd met een vrouw die een zus had met een stiefdochter die een tijdje de lesbische geliefde was geweest van een vrouw wier beste vriendin secretaresse was op de ambassade van de Islamitische Republiek Iran in Ottawa. Misschien was die tractorvertegenwoordiger niet betrokken bij terrorisme, maar hij bleek wel wiet te kopen, zogenaamd om medische redenen, omdat hij zogenaamd last had van misselijkheid ten gevolge van chemotherapiebehandelingen.

McClure leest een e-mail op het moment dat die aan Lamont wordt verstuurd.

Zo makkelijk kom je niet van me af. Hoe kun je, na alles wat je hebt geïnvesteerd in de enige echte, zuivere passie die je in je leven hebt gehad? Het probleem is dat je het wilt tot het je niet meer uitkomt, alsof de keus om weg te lopen alleen aan jou is, en raad eens? Deze keer heb je je in iets begeven wat je niet zelf in de hand kunt houden. Ik kan een verwoesting aanrichten die alles te boven gaat wat jij je zou kunnen voorstellen. Het is tijd dat ik je precies laat zien wat ik bedoel. Zelfde plek, morgenavond om tien uur. Ik.

Lamont mailt terug.

Oké.

Speciaal agent McClure stuurt de e-mail door aan Jeremy Killien op Scotland Yard en schrijft:

Project FOIL bereikt kritische massa.

Godverdegodver, denkt McClure. Wie kan het verdommen hoe laat het daar is? Die jongens van Scotland Yard kun je net zo goed uit hun bed sleuren als FBI-agenten. Waarom zou Killien met speciale egards behandeld moeten worden? Het zou McClure zelfs een genoegen zijn hoofdinspecteur Sherlock te ergeren. Die pokke-Britten. Wat hebben ze gedaan, behalve hun aandacht op Lamont richten vanwege haar nieuwste publiciteitsstunt, waardoor ze erachter zijn gekomen dat er een onderzoek naar haar loopt, wat de FBI weer heeft gedwongen vaart te maken opdat de Yard niet met de eer gaat strijken? De Britten hebben haar tenslotte niet als eerste als potentiële terreurbedreiging aangemerkt, en nu denken ze dat ze zich ermee kunnen bemoeien en de FBI het gras voor de voeten kunnen wegmaaien.

McClure belt dus op.

De telefoon laat eerst een paar Britse verbindingstonen horen en dan Killiens slaperige Britse stem.

'Lees je e-mail,' zegt McClure tegen hem.

'Wacht even,' klinkt het niet al te hoffelijk.

McClure hoort Killien met de telefoon naar een andere kamer lopen. Dan klinken er aanslagen op een toetsenbord, een gepreveld 'godvergeten traag' en 'ik zit er bijna in. O, dat was niet zo handig opgemerkt. Daar zijn we. Goeie god. Dat staat me helemaal niet aan.'

'We moeten in actie komen,' licht McClure hem in. 'Ik zou niet weten hoe we nog zouden kunnen wachten. De vraag is of je erbij wilt zijn. Op die korte termijn. Ik begrijp dat het niet...'

'Er is geen andere optie,' zegt Killien er dwars doorheen. 'Ik ga het meteen regelen.'

Win biedt zijn verontschuldigingen aan voor de tomaten, die niet uit eigen tuin komen.

'Alsof ik dat niet weet. Ik ben toevallig een expert op het gebied van groenten en fruit,' zegt Stump, die een eindje bij hem vandaan in zijn woonkamer zit. 'Je zult het wel een weerzinwekkende bekentenis van me vinden, maar mijn winkel is mijn echte baan. Mijn vader heeft de zaak van de grond af opgebouwd, en zijn hart zou breken als ik hem teleurstelde. Even terug naar die tomaten. Een tip van een insider. De lekkerste komen van Verrill Farm, maar daar moeten we nog een paar maanden op wachten, afhankelijk van hoeveel regen we krijgen. Ik hou ervan om smeris te zijn, maar de winkel houdt ook van mij.'

De verlichting is gedempt en overal in het appartement hangt de verlokkende geur van op hickory gerookte bacon. Verse tomaten of niet, het broodje met bacon, sla en tomaat dat Win heeft gemaakt is zo ongeveer het lekkerste wat ze ooit heeft geproefd, en de Franse chablis die hij heeft opengetrokken is fris, zuiver en volmaakt. Stump heeft een uitzicht dat kenmerkend is voor Cambridge: oude, bakstenen gebouwen, pannendaken en verlichte ramen. Toen hij voorstelde een hapje te eten, dacht ze dat hij een laat diner bedoelde, en toen hij zijn huis voorstelde, maakte dat haar opgewonden en bang. Ze had nee moeten zeggen. Ze kijkt naar hem terwijl hij zijn broodje eet en zijn wijn drinkt en weet nog zekerder dat ze nee had moeten zeggen. Toen hij een kaars op de salontafel aanstak en het licht uitdeed, wist ze dat ze onmiskenbaar een tactische fout had begaan.

Ze zet haar bord neer en zegt: 'Ik moet echt weg.'

'Het is niet beleefd om weg te lopen zodra je bevredigd bent.'

'Bel me morgen maar op als je meer hulp nodig hebt, maar...' Ze wil opstaan, maar lijkt versteend te zijn.

'Je bent bang voor me, hè?' zegt hij in het zachte, dansende licht. 'Lang voordat ik in deze zaak werd gestort en jou met me mee sleurde.'

'Ik ken je niet, en ik ben op mijn hoede voor het onbekende. Zeker als ik probeer een puzzel te leggen en de stukjes passen niet in elkaar.'

'Wat voor stukjes?'

'Waar zal ik beginnen?'

'Waar je maar wilt. Dan vertel ik je over alle stukjes die niet passen.' Zijn ogen vangen het kaarslicht.

'Ik geloof dat ik nog een glas wijn moet hebben,' zegt ze.

'Ik stond op het punt.' Hij schenkt hun glazen vol. De leren bank kraakt wanneer hij naar haar toe schuift.

Ze ruikt hem, voelt zijn arm die heel licht langs haar mouw strijkt, en voelt zijn aanwezigheid als een magnetisch veld. Dat haar aantrekt.

'Eh, tja.' Ze neemt een slokje wijn. 'Om te beginnen, waarom noemen ze je Geronimo?'

'Ik weet niet wie "ze" zijn, maar waarom raad je niet? Dit wordt leuk.'

'Een machtige krijger. Altijd op het oorlogspad. Misschien iemand die sprongen maakt die fataal kunnen zijn. Weet je nog, toen we klein waren? Dat je "Geronimo" riep als je van de hoge dook?'

'Ik had als kind niet de beschikking over een zwembad.'

'O, nee. Je gaat me toch geen huilverhaal over discriminatie vertellen, hè? Toevallig weet ik dat toen jij klein was, kleurlingen al werden toegelaten op openbare scholen.'

'Ik heb niets over discriminatie gezegd. Ik had gewoon niet de beschikking over een zwembad. Die "ze" over wie jij het hebt, is mijn grootmoeder. Zij heeft me de bijnaam Geronimo gegeven. Niet vanwege zijn krijgerschap, fatale sprongen of wat dan ook, maar vanwege zijn welsprekendheid. Hij heeft gezegd: "Ik kan niet geloven dat we nutteloos zijn, anders had God ons niet geschapen. En de zon, het duister en de winden luisteren allemaal naar wat wij te zeggen hebben."'

Er blijft iets in haar borst steken. 'Ik zie het verband niet,' zegt ze.

'Tussen die woorden en degene die naast je zit? Misschien vertel ik het je nog eens, maar nu is het jouw beurt. Waarom Stump? Heel eerlijk? Ik kan geen goede reden

bedenken waarom iemand jou Stump zou noemen.'
'Naar de torpedobootjager van de Amerikaanse marine uit de Tweede Wereldoorlog, de USS *Stump*,' zegt ze.
'Ik dacht al zoiets.'
'Nee, echt. Mijn vader is hierheen gevlucht voor Mussolini, elke gruwel die je maar kunt bedenken wanneer je je die monsterlijke periode in de geschiedenis voor de geest haalt. Ik hoop uit alle macht dat die periode zich nooit zal herhalen, want dan moet onze hele beschaving wel gedoemd zijn.'
'Ik ben bang dat we al gedoemd zijn. Ik word er met de dag banger voor. Als ik nog ergens naartoe kon, zou ik waarschijnlijk vluchten.'
'Stel je voor hoe de oudjes zich voelen. Mijn pa kijkt drie, vier keer per dag naar het nieuws. Hij zegt dat hij hoopt dat als hij maar lang genoeg kijkt, het vanzelf beter wordt. Hij is depressief. Loopt bij een psychiater. Ik betaal het uit mijn eigen zak, want... Nou ja, breek me de bek niet open over de dekking van ziektekostenverzekeringen en de rest. Toen ik nog klein was, begon hij me Stump te noemen vanwege de oorlogsheld naar wie het schip was vernoemd, admiraal Felix Stump, vermaard om zijn moed en onbevreesdheid. Het naar hem vernoemde schip droeg als motto: "Standvastigheid: het fundament van de overwinning." Mijn vader zei altijd dat de sleutel tot het succes is dat je domweg nooit moet opgeven. Best wel cool om dat tegen een klein meisje te zeggen.'
'Heb je na je motorongeluk nooit met het idee gespeeld een andere bijnaam te nemen?'
'Hoe doe je dat?' Ze kijkt hem aan en om redenen die ze niet kan doorgronden, hebben zijn woorden pijn ge-

daan. 'De mensen noemen je al het grootste deel van je leven Stump, en opeens zeg je: "Hé, nu mijn halve been is afgezet, wil ik geen Stump meer genoemd worden." Het zou hetzelfde zijn als wanneer jij niet meer Geronimo mocht worden genoemd omdat je een keer stoned van je balkon bent gesprongen of zo en verlamd bent geraakt.'

'Ik maak hier toch niet uit op dat je suïcidale gedachten zou kunnen hebben gehad nadat je met je motor op de vangrail was geknald, toch?'

Ze reikt naar haar wijn en zegt: 'Lamont zal wel nooit iets over mijn ongeluk hebben gezegd? Aangezien ze volgens jou nooit echt iets over me heeft gezegd?'

'Ze heeft nooit iets over je gezegd, volgens haar. Helemaal nooit, tot ze me laatst te verstaan gaf dat ik met jou ging samenwerken. Wat trouwens op dat moment niet waar was, want jij was niet van plan me te helpen.'

'Ze heeft een goede reden om niets over me te zeggen,' zegt Stump. 'En ze heeft een goede reden om het voor de rest van haar leven te betreuren dat ik niet bij dat ongeluk ben omgekomen, want dat doet ze waarschijnlijk.'

Win kijkt even zwijgend door het raam en neemt een slokje wijn. Ze voelt zijn afstandelijkheid, alsof de lucht tussen hen opeens is afgekoeld, en de spanning en het schuldgevoel overmeesteren haar weer met kracht. Het is verkeerd wat ze doet. Het is verkeerd wat ze heeft gedaan. Ze staat op van de bank.

'Dank je wel,' zegt ze. 'Ik moest maar eens gaan.'

Hij blijft roerloos door het raam kijken. Het kaarslicht dat langs zijn profiel flakkert, wekt een pijnlijk verlangen bij haar.

'Als je nog hulp nodig hebt met dossiers, andere papieren, ik help je graag. Je zegt het maar,' zegt ze.

Hij draait zijn hoofd, kijkt naar haar op. 'Pardon?'

'Ik zeg dat het geen probleem is. Ik doe het graag.' Haar voeten willen niet in beweging komen. 'Je vergeet tegen wie je het hebt.' Waarom houdt ze haar kop niet? 'Ik merk het als iemand moeite heeft met lezen. Nog zo'n stukje dat niet past. Nog een manier waarop je de mensen bedriegt.' De tranen zitten plotseling heel hoog. 'Ik weet niet waarom je denkt dat je erom moet liegen. Tegen mij. Ik weet het al ongeveer sinds ik je ken. Al die keren dat je bij me in de winkel kwam en vragen stelde om te verdoezelen dat je de ingrediënten op zo'n stom potje marinarasaus niet kunt lezen...'

Hij staat op en komt bijna dreigend op haar af.

'Je moet je er gewoon overheen zetten,' zegt ze en even komt het in haar op dat hij haar misschien pijn wil doen. Misschien heeft ze het zelf uitgelokt. Omdat het haar verdiende loon is, na wat ze heeft gedaan.

'Dan zijn we allebei kreupel,' zegt hij.

'Dat is een verschrikkelijk woord. Gebruik dat nooit meer waar ik bij ben. Gebruik het niet eens waar je zelf bij bent,' zegt ze.

Hij pakt haar schouders en brengt zijn gezicht vlak bij het hare, alsof hij op het punt staat haar te kussen, en haar hart gaat zo tekeer dat het in haar hals bonkt.

'Wat is er tussen Lamont en jou gebeurd?' zegt hij. 'Dat heb je mij ook gevraagd. Nu vraag ik het aan jou.'

'Niet wat je denkt.'

'Hoe kun jij in godsnaam weten wat ik denk?'

'Ik weet precies wat je denkt. Exact wat iemand als jij zou denken. Kerels zoals jij denken alleen maar aan seks, dus als er iets gebeurt waar iemand niet over kan praten, moet het over seks gaan. Nou, wat ze me heeft aangedaan, heeft inderdaad met seks te maken.'

Ze trekt hem op de bank, drukt zijn hand op haar onderbeen en slaat ermee op de prothese. Het maakt een hol geluid.

'Niet doen,' zegt hij, terwijl hij bijna boven op haar ligt, in het kaarslicht dat het donker zacht in beweging zet. 'Doe het niet,' zegt hij terwijl hij weer rechtop gaat zitten.

'Die avond bij Sacco's. Ze had minstens een fles wijn opgedronken in haar eentje en zeurde maar door over haar vader, die rijke aristocraat, een internationaal vermaard advocaat, en dat ze nooit iets had betekend voor hem en hoe bang ze was dat ze daar verwrongen door was geraakt, dat ze daardoor gedrag vertoonde dat ze zelf niet echt begreep en waar ze later spijt van had. Nou, er zat een kerel naar haar te kijken, hij zat de hele avond naar haar te lonken. Uiteindelijk neemt ze hem mee naar mijn huis en ze trekken van leer in mijn slaapkamer. Ik moest op de bank slapen.'

Stilte. Win wrijft in zijn nek.

'Het was een kneus, een stomme, onbehouwen, achterlijke kneus, en het toeval wilde dat hij een paar jaar eerder door haar toedoen naar de gevangenis was gegaan. Dat wist ze natuurlijk niet meer. Er komen zoveel mensen langs in die rechtbank van haar, zoveel zaken dat je de namen en gezichten vergeet. Maar hij wist nog wel wie zij was. Daarom wilde hij haar ook versieren in het café.'

'Ze heeft iets stoms gedaan,' zegt Win zacht. 'En jij hebt het gezien. Is het echt zo belangrijk?'

'Hij wilde het haar betaald zetten. Haar eens een flinke beurt geven, zoals hij het noemde. Haar harder naaien dan zij hem had genaaid, schreeuwde hij de volgende ochtend op weg naar buiten. En wat doet zij? Ze trekt zijn dossier, spit er wat in en ontdekt dat hij voorwaardelijk vrij is en zich niet aan de voorwaarden heeft gehouden. Hij draait weer voor een halfjaar de bak in, of een jaar, ik weet het niet meer. Op een dag zien hij en een stel van zijn achterlijke maten me bij een Mobil-station aan Route Two mijn Harley volgooien. Ze rijden achter me aan en hij joelt en schreeuwt door zijn raam naar me om er maar zeker van te zijn dat ik zijn gezicht heb gezien vlak voordat hij me in de vangrail drijft.'

Win trekt haar tegen zich aan en legt zijn kin op haar kruin. 'Weet zij dat?' vraagt hij.

'Nou en of. Maar er was niets aan te doen, hè? Anders zou voor de rechtbank aan het licht komen waar ik die gast van kende. Dat het me veiliger leek die twee in mijn slaapkamer te laten neuken dan haar ervandoor te laten gaan met een eikel die ze net in een café had ontmoet. Dat is hoe het feit dat ik haar als een vriendin had behandeld, me uiteindelijk een been kostte.'

Hij raakt het been aan, laat zijn vinger omhoogglijden tot boven haar knie, legt zijn hand op haar dij en zegt: 'Het heeft niets met seks te maken. Niet op de manier die jij bedoelt. Hoe hard ze haar best ook doet, dat deel van jou kan ze nooit kapotmaken.'

De patholoog-anatoom die de autopsie op Janie Brolin heeft verricht, woont aan een smalle inham van de rivier de Sudbury, in een vreemd huisje op een vreemde lap grond die zo overwoekerd is als oma's tuin.

Er missen tegels uit het terras aan de achterkant, dat vrijwel helemaal schuilgaat onder de klimop. Een oude houten kano is gestrand in een achtertuin die bezaaid is met knalgele narcissen en violen. Win, die onaangekondigd is gekomen, belt aan. Zijn dag is nu al slecht, want er is goed nieuws van het lab. Tracy heeft vingerafdrukken gevonden.

Zijn idee om het met luminol te proberen heeft in één opzicht vruchten afgeworpen: er is een latente vingerafdruk opgelicht op de verpakking van de wegwerpcamera die hij heeft gevonden in het victoriaanse herenhuis, wat wil zeggen dat degene die het karton heeft aangeraakt, op minstens één van zijn vingers koperaanslag had zitten. Koper en bloed lichten allebei op wanneer je ze met luminol bespuit, een veel voorkomend probleem bij technisch onderzoek dat in dit geval in Wins voordeel heeft gewerkt. Helaas komt de koperafdruk niet overeen met wie dan ook in AFIS, de database met vingerafdrukken. Waren er meer afdrukken? Die op de wijnfles zijn herleid tot Stump en Win, en Farouk heeft verschillende partiële afdrukken achtergelaten op de door hem aangeraakte envelop. Op het blikje Fresca en het briefje van Lappen Lijs zijn dezelfde afdrukken aangetroffen, maar die zijn ook niet terug te vinden in AFIS.

Stump heeft gelogen.

Dit is niet het moment om daaraan te denken, houdt hij zichzelf voor terwijl hij nog eens bij dokter Hunter aanbelt.

Hoe kon ze? In zijn armen, in zijn bed, tot vier uur 's ochtends is ze gebleven. Hij heeft vannacht de liefde bedreven met een leugen.

'Wie is daar?'

Win noemt zijn naam en zegt dat hij van de staatspolitie is.

'Kom maar naar het raam om het te bewijzen,' zegt een krachtige stem door de deur.

Win loopt naar de zijkant van de veranda en houdt zijn penning tegen de ruit. Een oude man in een scootmobiel op drie wielen tuurt van de penning naar Win, lijkt tevredengesteld te zijn, rijdt terug naar de deur en laat hem binnen.

'Hoe veilig het hier ook is, ik heb te veel gezien. Ik zou geen padvindster vertrouwen,' zegt dokter Hunter terwijl hij naar een wormstekige kastanjehouten woonkamer met uitzicht over het water rijdt. Op het bureau staat een computer te midden van een router en stapels boeken en papieren.

Hij parkeert tegenover de schouw en Win gaat op de stenen rand zitten en kijkt om zich heen naar foto's, vaak van een jongere versie van dokter Hunter met een knappe vrouw die, zo neemt Win aan, zijn vrouw is geweest. Veel gelukkige momenten met familie en vrienden, een ingelijst krantenartikel met een zwart-witfoto van dokter Hunter op een plaats delict, omzwermd door politiemensen.

'Ik heb zo'n gevoel dat ik weet wat je hier komt doen,' zegt dokter Hunter. 'Die oude moordzaak die opeens weer in het nieuws is. Janie Brolin. Ik moet zeggen dat ik mijn oren eerst niet geloofde. Waarom nu? Anderzijds staat onze welwillende plaatselijke aanklager bekend om haar, laten we zeggen, verrassingen.'

'Is het destijds ooit in u opgekomen dat de Boston Strangler de dader zou kunnen zijn?'

'Baarlijke nonsens. Vrouwen die verkracht en gewurgd zijn met hun eigen kleding, in een pose gelegd en de hele rest? Een sjaaltje of kousen gebruiken en er een strik in leggen is iets heel anders dan het slachtoffer met haar eigen beha wurgen, wat doorgaans gebeurt, zo heeft de ervaring me geleerd, wanneer de moordenaar zijn slachtoffer aanrandt en aan haar kleren sjort en trekt, en de beha het meest voor de hand liggende, praktische wurgkoord is omdat die toch al dicht bij de nek zit. Ik moet eraan toevoegen dat Janie er niet het type naar was om wie dan ook om welke reden dan ook in haar huis te laten, tenzij ze absoluut zeker wist wie het was.'

'Omdat ze blind was,' veronderstelt Win.

'Dat duurt bij mij ook niet lang meer. Maculaire degeneratie,' zegt Hunter. 'Maar ik kan veel afleiden uit iemands stem. Meer dan vroeger. Wanneer een van je zintuigen aftakelt, bundelen de andere de krachten om het te helpen. De journalisten waren terughoudender in 1962, of misschien wilden haar ouders gewoon niemand te woord staan of had de pers geen belangstelling, ik weet het niet, maar als ik het me goed herinner, heeft er niet in de kranten gestaan dat Janie Brolins vader arts was in het Londense East End en niet onbekend met de misdaad; hij lapte regelmatig slachtoffers op. Haar moeder werkte bij een apotheek die een paar keer was overvallen.'

'Dus Janie was niet naïef,' zegt Win.

'Het was een pittige tante die het leven kende, wat een van de redenen was dat ze het lef had om een jaar in haar eentje naar het buitenland te gaan, en Watertown te kiezen.'

'Vanwege Perkins. Ze was blind en wilde met blinden werken.'

'Dat wordt aangenomen.'

'Hebt u haar ouders ooit gesproken?'

'Haar vader, één keer maar en heel kort. Zoals je maar

al te goed weet, wil niet iedereen met de patholoog-anatoom praten. De mensen kunnen niet omgaan met onze
rol in het geheel. Meestal stellen ze keer op keer dezelfde vraag.'

'Of hun dierbare heeft geleden.'

'Juist,' zegt dokter Hunter. 'Het was ook zo ongeveer
het enige wat haar vader me vroeg. Hij wilde wel een
kopie van de akte van overlijden, maar niet van het autopsieverslag. Hij noch zijn vrouw is hierheen gekomen.
Het lichaam is teruggestuurd naar Londen, samen met
de weinige persoonlijke bezittingen die ze had, maar hij
wilde de details niet weten.'

'Ongebruikelijk, voor een arts.'

'Niet voor een vader.'

'Wat hebt u gezegd toen hij ernaar vroeg?'

'Ik heb gezegd dat ze had geleden. Ik heb nooit gelogen.
Je mag niet liegen.'

De gedachte aan Stump dringt zich aan Win op.

'Als je iemand vertelt wat hij wil horen, dat zijn dierbare niet heeft geleden, hoe moet het dan als de zaak voor
de rechter komt en de verdediging ontdekt dat je dat hebt
gezegd?' zegt dokter Hunter. 'Hij betrapt je op een leugen, al is het er een om bestwil, en dan is je geloof-
waardigheid aangetast. Goed, ik zal je geven wat ik heb.
Veel is het niet.'

Hij rijdt in zijn zacht brommende scootmobiel naar een
deur. 'Toen ik het allemaal op het nieuws hoorde, heb
ik alles opgediept wat ik kon vinden. Ik ging ervan uit
dat er iemand naar zou vragen, en ik had gelijk.' Hij is
in de gang. 'Al die rotzooi in mijn kasten, onder bed-
den...' Zijn stem sterft weg en komt weer terug. 'Een
paar dingen uit die tijd, zo wijs waren we wel.'

Hij parkeert zijn scooter, met een archiefdoos op zijn schoot, en praat door. 'Ten eerste. Harvard was helemaal niet zo op een afdeling Forensische Geneeskunde gebrand, anders zou die er nog wel zijn. Een paar van ons pathologen-anatomen hielden wel van het speurwerk, deden maar al te graag autopsies, wilden misdaaddokters worden, zoals sommige mensen het noemden. Maar we hielden onze eigen gegevens bij ons, voor zover we ze belangrijk vonden of als lesmateriaal wilden gebruiken, in het volle besef dat wanneer wij vertrokken, niemand nog een moer om ons erfgoed zou geven. Trouwens. Heb je haar op YouTube gezien?'

Lamont. Wat Win weer aan Stump doet denken.

'Ongelooflijk, wat de mensen tegenwoordig doen,' zegt dokter Hunter. 'Blij dat ik niet van jouw leeftijd ben. Blij dat ik bergafwaarts ga. Weinig meer om me op te verheugen, behalve dan de amateurfilmpjes van onbekenden, en, nou ja... een van mijn kleindochters zit in Irak. En ik word geacht omringd door mijn vrienden in een verzorgingshuis te zitten, de vrienden die er nog zijn, althans. Ik heb vijf jaar op de wachtlijst gestaan en ik ben nu aan de beurt. Ik kan het me niet veroorloven, want ik kan mijn huis niet verkopen. Nog niet zo lang geleden vochten ze erom.' Hij wijst naar de computer op zijn bureau met uitzicht op de rivier. 'Ik noem het een computerpandemie. Als het hek eenmaal van de dam is...'

'Het spijt me...'

'Ik had het over Monique Lamont. De tweede is nog erger dan de eerste. Toe maar, kijk maar.' Hij wuift weer naar de computer. 'Ik krijg Google Alerts voor allerlei dingen. Het Openbaar Ministerie, misdaad, de gemeente, want ik blijf graag op de hoogte van wat er in Middlesex speelt. Aangezien ik er zelf woon.'

Win loopt naar de computer, klikt het internet-icoontje aan en vindt binnen de kortste keren de nieuwste clip die de ronde doet.

'*Ow, she's a brick… house,*' zingen de Commodores terwijl Lamont met een helm op, andere functionarissen en bouwvakkers tonen ingestorte betonnen plafondplaten inspecteren in een tunnel bij luchthaven Logan bij Boston.

Dan komt er een voice-over uit een van haar vroegere campagnes bij: 'In onze eis om rechtvaardigheid moet iedereen met de billen bloot.' Intussen bukt Lamont om een verwrongen reep staal te inspecteren, waarbij haar strakke rok opkruipt tot aan haar achterste.

Dokter Hunter zegt: 'Dat moet van die ramp van vorige zomer zijn, de Big Dig, toen die tunnel instortte en er een auto werd verpletterd, waarbij de vrouwelijke passagier om het leven kwam. Ik ben nooit een fan geweest van Monique Lamont, maar nu zou ik bijna medelijden met haar krijgen. Het deugt niet om iemand zoiets aan te doen. Maar daarvoor ben je niet gekomen. Als ik wist hoe het zat met Janie Brolin, was de zaak wel opgelost toen ik er nog aan werkte. Ik denk er nog net zo over als toen: een moord in de huiselijke kring, zodanig geënsceneerd dat de schijn van een lustmoord wordt gewekt.'

'Geënsceneerd door haar vriendje, Lonnie Parris?'

'Er waren wel eens ruzies tussen hen gehoord, als mijn geheugen me niet in de steek laat. Meldingen van buren dat die twee elkaar te lijf gingen. Misschien is hij haar die ochtend komen afhalen om haar naar haar werk te brengen en hebben ze toen ruzie gekregen. Hij wurgt haar en ensceneert de plaats delict op zo'n manier dat het lijkt alsof de dader een lustmoordenaar is. Dan vlucht hij weg en heeft het ongeluk in nauw contact te komen met een voertuig.'

'Het enige wat ik over hem heb kunnen vinden was een krantenartikel; zijn dossier was onvindbaar. Ik neem aan dat het bij de politie van Cambridge ligt, aangezien het een zaak van Cambridge was. Hebt u zijn autopsie ook gedaan?'

'Inderdaad. Meervoudig letsel. Wat kun je anders verwachten als iemand is overreden?'

'Overreden? Dus niet geraakt terwijl hij rechtop stond?'

'Nee, hij was wel degelijk overreden. Meer dan eens. Sommige van zijn verwondingen waren postmortaal, waar ik uit afleid dat hij een tijdje dood op de weg heeft gelegen, zo lang dat er nog een paar auto's over hem heen zijn gereden voordat iemand eindelijk een hobbel voelde en besloot dat het verstandig zou kunnen zijn uit te stappen en een kijkje te nemen. Het was in de vroege ochtend. Het was nog donker.'

'Is het mogelijk dat hij al dood was voordat hij werd overreden?'

'Je bedoelt dat het een gefingeerd ongeluk was? Het is mogelijk. Ik kan je alleen zeggen dat hij geen steek- of schotwonden had. Hij had wel degelijk zware verwondingen opgelopen, vooral aan zijn hoofd, toen hij nog leefde.'

'Ik vind het gewoon boeiend dat hij de politie vanuit Janies appartement heeft gebeld nadat hij haar zogenaamd vermoord had aangetroffen,' zegt Win, 'en zich dan uit de voeten maakt voordat de politie er is. En nog geen vierentwintig uur later ligt hij dood op straat. Niet geraakt terwijl hij stond, maar overreden omdat hij al lag.'

'We hebben gedaan wat we konden. We hadden toen nog niet zo'n trukendoos als jullie tegenwoordig hebben.'

'We hebben geen trukendoos, maar er zijn nu zeker mogelijkheden die nog niet bestonden toen u aan die zaken werkte, dokter Hunter. Ik vraag me af...' – hij wijst naar de archiefdoos – '... wat u allemaal hebt.'

'Voornamelijk de oude gegevens die je waarschijnlijk al hebt gezien, ook het dossier van de politie van Cambridge, maar het mooiste... Nou ja, het was ongepast geweest als ik dat had meegenomen toen ik met pensioen ging. Zoals de pathologische monsters. Toen de afdeling Forensische Geneeskunde in de jaren tachtig werd opgeheven, zijn onze monsters achtergebleven en ik twijfel er niet aan dat ze uiteindelijk met de vuilnisman zijn meegegaan. Had ik Janie Brolins ogen nog maar. Fascinerend. Ze gingen rond in de natte labs. Niemand die het begreep.'

'Wat was er dan met haar ogen?' vraagt Win.

'Zoals je misschien verwacht, heb ik tijdens de autopsie met een fel licht in haar ogen geschenen in de hoop bij oppervlakkig onderzoek iets te ontdekken wat haar blindheid kon verklaren. Toen ontdekte ik vreemde, glanzende bruine spikkeltjes op de hoornvliezen, naar ik vermoed een bijverschijnsel van een ziekteproces dat haar blindheid had veroorzaakt. Of misschien leed ze aan een niet gediagnosticeerde neurologische degeneratie die had geresulteerd in een veranderde pigmentverdeling. Ik weet het nog steeds niet. Nou ja, daar heb jij niet veel aan. Een medisch curiosum dat meer spekje naar mijn bekje is.'

'Mag ik?' Win staat op en loopt naar de archiefdoos.

'Ga je gang.'

Win draagt de doos terug naar de open haard en haalt het deksel eraf. Hij ziet de papieren en foto's die hij verwachtte, en een plastic, luchtdicht etensbakje.

'Dat is er al heel lang, hè?' zegt dokter Hunter. 'Tupperware. Dat, en glazen potjes van Ball. Onmisbaar in het mortuarium.'

Op het deksel staat het inmiddels vertrouwde nummer van de zaak: WT218-62. In het bakje zitten een injectiespuit met een kromme naald en een ampul. Win houdt hem tegen het licht.

Er zit een olieachtig bezinksel in, met iets wat op spikkeltjes dof koper lijkt.

9

Hij gaat snel bij het lab langs om de injectiespuit en de ampul af te geven en brengt dan een bezoekje aan oma. 'Ik kom je auto terugbrengen,' zegt hij luid. 'Je deur zit niet op slot. Het alarm is uitgeschakeld. Ik kan tenminste nog een beetje troost putten uit je consequentheid. Want de rest is een chaos, oma.'

Terwijl hij het zegt, brengt hij boodschappen naar haar keuken, en dan merkt hij pas dat oma bezoek heeft. Die arme mevrouw Murphy uit Salem. Het is ironisch dat oma cliënten heeft uit wat letterlijk 'de heksenstad' wordt genoemd, waar het embleem van de politie is voorzien van een heks op een bezemsteel. Echt waar.

'Ik wist niet dat er iemand was.' Hij zet de tassen neer en begint de boodschappen op te bergen.

Boodschappen uit een echte supermarkt, waar hij het volledige bedrag heeft betaald.

'Hoe maakt u het, mevrouw Murphy?' vraagt hij.

'O, niet zo goed.'

'Zo te zien bent u een beetje afgevallen.'

'O, niet echt veel.' De eeuwig sombere mevrouw Murphy, de volle honderdvijfendertig kilo.

Ze heeft het aan haar schildklier, zegt ze. Het knapt niet op, zegt ze. Ze doet alles wat oma zegt, en het gaat een tijdje minder slecht. Dan verschijnt de bovennatuurlijke vampier weer die haar levenskracht opzuigt terwijl ze slaapt, en is ze weer te neerslachtig en moe om te bewegen of wat dan ook te doen behalve eten.

'Ik weet er alles van,' zegt Win. 'Ik werk voor een bovennatuurlijke vampier. Het is hels.'

Mevrouw Murphy slaat op haar hammen van dijen van het lachen. 'Je bent me er eentje. Je vrolijkt me altijd op,' zegt ze. 'Maar ik had je toch gezegd dat je bij haar uit de buurt moest blijven? Heb je haar films gezien? O, hoe heet het ook maar weer. De presidentskandidaten doen er ook aan. You Two of zoiets. Maar goed, ik hou jou en die grote zaak waar je opeens aan werkt in de gaten. Ik herinner me die zaak nog wel, jij?' zegt ze met een knikje naar oma. 'Het was alsof het Helen Keller was overkomen toen ze nog jong was, alleen is Helen Keller natuurlijk nooit vermoord, goddank.'

'Goddank,' beaamt oma.

'Ik weet nog dat ik dacht dat het net Alfred Hitchcock was. Het was geen oorspronkelijk idee. Veel mensen zeiden het toen. Zoiets als *Wait Until Dark*, met dat arme blinde meisje dat uit alle macht probeert de telefoon te vinden en hulp te vragen, maar ze kan de telefoon niet eens zien, laat staan de moordenaar. Ze weet niet welke kant ze op moet vluchten, want ze ziet niets. Hoe beangstigend is dat? Nou, ik ga maar eens, dan kun je wat tijd met je kleinzoon doorbrengen,' zegt mevrouw Murphy tegen oma.

Win helpt haar uit haar stoel.

'Het is een echte heer,' zegt mevrouw Murphy, die haar tas openmaakt, er een biljet van twintig dollar uit haalt, het op tafel legt en dan naar Win wijst. 'Ik heb die dochter van me nog steeds, hoor. Lilly is een goeie meid, en ze heeft momenteel niemand.'

'Ik heb het momenteel zo druk dat ik een dame te weinig te bieden heb, zeker zo'n buitengewone dame als uw dochter.'

147

'Een echte heer,' zegt mevrouw Murphy weer. Ze pakt haar mobieltje, toetst een nummer en zegt tegen degene die opneemt: 'Ik kom nu naar buiten. Wat? Nee, ik kan beter op de oprit wachten. Ik ben te moe om naar het eind van de straat te lopen, lieverd.'

Ze vertrekt. Oma maakt de koelkast open om te zien wat Win allemaal heeft gekocht.

'Wat een heerlijke dingen, schattebout,' zegt ze terwijl ze een kastje openmaakt en daar ook in kijkt. 'Wat is er met je vriendin gebeurd?'

'Het was praktischer om naar Whole Foods te gaan. Die gebraden kip komt zo van het spit, en er is salade met wilde rijst. Je moet granen eten. Er zitten nootjes en gedroogde veenbessen in. Ik heb je auto volgetankt en het oliepeil nagekeken, dus je kunt er weer een tijdje tegen.'

'Ga zitten,' zegt oma. 'Zie je dit?' Ze wijst naar een groot gouden medaillon om haar nek, aan een van de ongeveer tien kettingen met hangertjes en symbolen die hem niets zeggen. 'Ik bewaar een lok haar in dit medaillon van toen je nog een baby was, en nu heb ik er een lok van mijn eigen haar bij gestopt. Moederlijke energie, schattebout. Je grootmoeder die haar kleinzoon beschermt. Er lopen engelen op aarde. Wees maar niet bang.'

'Als je er een tegenkomt, stuur je haar maar naar me toe.' Hij glimlacht naar haar.

'Wat is er met je vriendin gebeurd?'

'Wat voor vriendin, en hoe kom je op het idee dat er iets gebeurd zou zijn?'

'Degene die duisternis in je hart heeft geworpen. Het is niet wat je denkt.'

'Niets is ooit wat ik denk,' zegt hij. 'Dat maakt het leven toch juist boeiend? Ik moet weg.'

'Engeland,' zegt oma.

Hij blijft in de deuropening staan. 'Dat klopt. Janie Brolin kwam uit Engeland.' Het is overal in het nieuws geweest. Lamont en Scotland Yard, het dynamische duo. Wie weet? Misschien redden ze wat er nog te redden valt van de wereld.

'Nee,' zegt oma met nadruk. 'Het gaat niet om dat arme kind.'

Buiten trekt hij zijn motorpak aan, gadegeslagen door mevrouw Murphy, die het hengsel van haar grote, nepleren tas om een vlezige arm heeft gehangen.

'Je lijkt wel iemand uit die serie,' zegt ze. '*Star Trek*. Ik was altijd gek op kapitein Kirk. Hij doet nu reclamespotjes voor een reisbureau, is dat niet ironisch? Kapitein Kirk die reclame maakt voor reizen. Hij zal wel in hotels logeren waar *geen mens voor hem is geweest*.' Ze lacht. 'Voor negenennegentig dollar. Niemand ziet er de grap van in, alleen ik.'

Win zet zijn helm op. 'Zal ik u even een lift geven?'

Ze snuift. 'Straks doe ik het nog in mijn broek! Goeie god in de hemel. Zo'n walvis als ik op zo'n fietsje?'

'Kom op.' Win klopt op het zadel. 'Spring maar achterop. Ik breng u wel naar uw auto.'

Haar gezicht verslapt. Dan worden haar ogen zacht en verdrietig, want hij meent het.

'Hé, daar is Ernie,' zegt ze op het moment dat een witte Toyota de oprit oprijdt.

Hij stapt uit de lift in de wetenschap dat Lamont op haar kamer zit.

Je hoeft geen rechercheur te zijn om het uit te knobbelen. Haar auto staat op zijn gereserveerde parkeerplaats

149

en hij hoort een zwak geroezemoes van stemmen achter haar dichte deur. Waarschijnlijk praat ze met haar nieuwste publiciteitsagent, ook weer zo'n Ken-pop. Win loopt naar de recherchezaal, waar hij amper een woord wisselt met zijn collega's, die hem bevreemd aankijken omdat hij wordt geacht met verlof te zijn voor het oplossen van een zaak van internationaal belang. Wat hij nu vooral nodig heeft, is zijn veilige plek met zijn telefoon en zijn computer. Hij zet de doos van dokter Hunter op het bureau en kijkt op het zogenaamd gestolen horloge van zijn grootvader. In Londen is het nu bijna negen uur 's avonds. Hij zoekt op internet, vindt een algemeen informatienummer van Scotland Yard en zegt tegen de telefoniste die opneemt dat hij rechercheur moordzaken is in Massachusetts en de hoofdcommissaris dringend moet spreken.

Het gaat er niet in als de spreekwoordelijke koek. Alsof je het Witte Huis belt en naar de president vraagt. Na veel gedoe krijgt hij een vriendelijke vrouw van de recherche aan de lijn en komt erachter dat hij hoofdinspecteur Jeremy Killien moet hebben. Het enige probleem is dat die in het buitenland zit.

'Weet u waar ik hem kan bereiken?'

'Hij is naar de Verenigde Staten, meer weet ik niet. Als u morgen tijdens kantooruren terugbelt, kan een van de administratief assistenten van de hoofdcommissaris u misschien van dienst zijn.' Ze geeft hem een rechtstreeks nummer.

Het kan niet om de zaak-Brolin gaan. Een hoofdinspecteur van Scotland Yard zou nooit voor zoiets helemaal hierheen vliegen. Terwijl Win nadenkt, schudt hij drie tabletten Advil uit een potje, want hij heeft een barstende koppijn en dat onthechte, trage gevoel dat hij krijgt wanneer hij te weinig slaapt, niet traint of niet genoeg eet. Hij begint aan de dossiers van dokter Hunter, die voor het grootste deel dezelfde informatie bevatten die Stump en hij al in het politiearchief hebben bekeken. Nou, hij gaat haar niet meer vragen of ze hem nog met iets wil helpen, en hij neemt de notities en verslagen zin voor zin door, bladzij voor bladzij, tot hij op een naam stuit die hem rauw op zijn dak valt.

J. Edgar Hoover.

Andere namen, maffianamen die hem vaag bekend voorkomen, krabbels in dokter Hunters vrijwel onleesbare hanenpoten, vluchtige verwijzingen naar een gesprek dat hij op 10 april heeft gehad met een journalist van Associated Press. Win gaat het internet op en voert de ene zoekterm na de andere in. De journalist heeft verschillende onderscheidingen gekregen voor een aantal series van zijn hand over de georganiseerde misdaad. Win print verhalen. Het lezen ervan vordert traag en de journalist is, zoals hij al verwachtte, al jaren dood, dus die krijgt hij niet meer te spreken.

Het is bijna vijf uur als zijn telefoon gaat.

Het is Tracy van het lab.

'DNA onderzoek heeft niets bruikbaars opgeleverd. Geen treffers in CODIS. Maar je had gelijk,' zegt ze.

Hij had haar gevraagd monsters van de injectiespuit en de ampul te nemen en die te onderzoeken met de scanning-elektronenmicroscoop gekoppeld aan een energiedispersieve röntgenunit, om de deeltjes in het olieachtige bezinksel te vergroten en de componenten ervan te bepalen. Aangenomen dat de vreemde bruinige spikkels anorganisch zijn, zoals koper.

'Het is metaal,' bevestigt Tracy.

'Waar zit nou in vredesnaam koper in? Injecteerde ze zichzelf met koperdeeltjes?'

'Geen koper,' zegt Tracy. 'Goud.'

Wat zich langzaam ontwikkelt, is een portret van een gewelddadige tragedie die, zoals vrijwel alle andere waar Win onderzoek naar heeft gedaan, is geworteld in willekeur en ongelukkige timing, een schijnbaar onbelangrijke gebeurtenis die op verbazend brute wijze een eind aan iemands leven heeft gemaakt.

Hij zal het nooit kunnen bewijzen, want er is niemand meer in leven die het kan bevestigen, maar het schijnt dat Janie Brolin nog geen twee etmalen voordat ze werd vermoord, het fatale incident zelf in gang heeft gezet, domweg door de voordeur van haar appartement uit te stappen om een woordenwisseling met Lonnie Parris, haar vriendje, voort te zetten. Win beseft dat hij al bijna vijf uur onafgebroken aan zijn bureau zit en staat op. Hij loopt langs de ene lege werkplek na de andere; iedereen is al naar huis. Aan de andere kant van de gang zijn de kantoren van het parket en de deur van Lamonts suite. Ze is er. Hij voelt haar intense, zelfzuchtige energie. Hij klopt, loopt zonder een reactie af te wachten door en sluit de deur achter zich.

Ze staat achter haar smettelose glazen bureau haar koffertje in te pakken. Als ze naar hem opkijkt, flitst er onzekerheid over haar gezicht. Dan is ze weer haar ondoorgrondelijke zelf, in een mantelpak met een rokerig blauwe tint en een groenig zwarte blouse, een subtiel wringende combinatie die op en top Armani is.

Win pakt een stoel en zegt: 'Heb je even?'

'Nee,' Ze sluit haar koffertje en schuift de gespen met harde klikken op hun plaats.

'Ik denk dat je dit wilt horen voordat ik het doorgeef aan Jeremy Killien van Scotland Yard. En trouwens, het zou beleefd zijn als je het me liet weten wanneer je andere instanties bij mijn onderzoek betrok.'

Ze gaat zitten. 'Je weet heel goed dat de Yard aan het onderzoek meewerkt.'

'Ja, nu wel. Omdat ik via het nieuws heb gehoord dat jij hebt gelekt.'

'Ik heb niet gelekt. Dat heeft de gouverneur gedaan.'

'Goh, en hoe zou die erachter zijn gekomen? Misschien heeft iemand het eerst tegen hem gezegd.'

'Dit staat niet ter discussie,' zegt ze zoals alleen zij dat kan. Nooit een commentaar, altijd een commando. 'Je hebt kennelijk nieuws over onze zaak. Goed nieuws, mag ik hopen?'

'Ik denk niet dat iets aan deze zaak goed nieuws zou kunnen zijn. Voor jou is het waarschijnlijk geen goed nieuws, en als Jeremy Killien niet op weg was naar Amerika, of al hier, zou ik je adviseren hem te laten weten dat hij waarschijnlijk geen tijd van Scotland Yard hoeft te verspillen aan...'

'Is hij op weg hierheen? En hoe zou jij dat kunnen weten?'

'Ik heb het van een collega van hem gehoord. Hij is naar Amerika vertrokken. Ze wist niet wanneer of waarom.'

'Er moet een andere reden voor zijn. Niet vanwege onze zaak.' Ze klinkt niet erg overtuigd. 'Ik kan me niet voorstellen dat hij hierheen zou komen zonder eerst met mij te overleggen.'

Ze knipt een lamp met een glazen kap aan. Het raam

achter haar is donker. De verlichting van omringende gebouwen is wazig in de mist. Het gaat regenen, en Lamont heeft een afkeer van regen. Zo sterk zelfs dat Win heeft geopperd dat ze een seizoensgebonden affectieve stoornis zou kunnen hebben. Hij heeft haar zelfs een keer een zogenaamd stemmingsverhogende daglichtlamp met Kerstmis gegeven. Het werkte niet. Woedend maakte het haar. Slecht weer is een slecht moment voor slecht nieuws.

'Janie Brolin leed hoogstwaarschijnlijk aan reumatoïde artritis, vermoedelijk als kind al,' begint Win. 'Mogelijk omdat haar vader arts was, nam ze haar toevlucht tot een vrij vernieuwende behandelwijze met natriumaurothiomalaat. Wel eens van gehoord?'

'Nee,' zegt ze ongeduldig, alsof ze ergens heen moet en ze zich daar druk om maakt.

'Goudzouten. Gebruikt om chronische artritis te behandelen. De dosis is moeilijk te bepalen. Misschien tien tot vijftig milligram per week. Mogelijk minder met grotere tussenpozen, toegediend per injectie. Mogelijke bijwerkingen zijn onder andere afwijkingen in het bloed, dermatitis en het snel ontstaan van hematomen, wat al die kneuzingen overal op haar lichaam zou kunnen verklaren. Plus corneale chrysiasis...'

Lamont haalt haar schouders op en kijkt hem aan met zo'n blik van 'gooi maar in mijn pet'. Haar manier om hem te behandelen, alsof zij zich verveelt en hij stom is. Ze wordt met de seconde nerveuzer en kijkt telkens naar de klok van Venetiaans glas op de wand tegenover haar bureau.

'Het goud zet zich af in de hoornvliezen zonder visuele stoornissen te veroorzaken, of anders gezegd, je gaat er niet slechter van zien, maar bij onderzoek met licht zie je piepkleine, bruinige metaalspikkels. Die zijn bij haar autopsie gevonden,' zegt Win.

'Nou en?'

'Alles wijst erop dat ze niet blind was, maar overgevoelig voor licht, ook een mogelijke bijwerking van goudtherapie. En mensen die overgevoelig zijn voor licht, zetten vaak een donkere bril op.'

'Wat dan nog?'

'Ze was dus niet blind.'

'En wat dan nog?'

'En jij wilt het gewoon niet horen, hè?'

'Jouw verwrongen gedachten? Ik heb geen tijd om me erdoorheen te ploegen,' zegt ze.

Win vervolgt: 'Ik geloof dat Janie Brolin door de maffia is geliquideerd, net als haar vriendje, Lonnie Parris. Ze woonde in het hart van het maffiakwartier in Watertown. Ze was zich er ten volle van bewust wat er om haar heen speelde, want ze was niet blind, wat betekent dat ze donders goed heeft gezien wie er voor haar deur stond op die ochtend van de vierde april, wat betekent dat het waarschijnlijk iemand was die ze in zoverre vertrouwde dat ze hem binnen durfde te laten. Niet noodzakelijkerwijs haar vriendje, Lonnie Parris, dat haar net zomin heeft vermoord als die godgeklaagde Boston Strangler. Ik denk dat ze al dood was tegen de tijd dat Lonnie haar kwam afhalen om haar naar Perkins te brengen. Hij heeft haar dood aangetroffen.'

'Ik wacht op de basis voor al die veronderstellingen,' zegt Lamont. 'Ik wacht eigenlijk tot iets van je beweringen een zekere logica krijgt.'

'Twee dagen eerder, de tweede april,' zegt Win. 'Een onderbaas van de maffia die toevallig tegenover Janie woonde, gebruikte zijn contacten bij de dienst Motorvoertuigen om een kenteken te laten natrekken, zodat hij aan het adres kon komen van een jurylid dat weigerde niet-schuldig te oordelen in de zaak van een van zijn jongens, die terechtstond wegens moord. Het jurylid werkte niet alleen niet mee, maar maakte ook een beledigende opmerking aan het adres van die onderbaas. Zoek het maar op. Het is breed uitgemeten in de pers.'

Lamont. Die blik van haar. Zo gefixeerd als van een kat.

'De beledigende opmerking kwam erop neer dat die onderbaas en J. Edgar Hoover een driehoeksverhouding hadden met een andere hoge FBI'er. Niet dat zulke dingen niet vaker waren beweerd, overigens, maar in dit geval stuurde de betreffende onderbaas, Janies overbuurman, een paar van zijn jongens naar het huis van het jurylid, dat onder dwang werd meegenomen naar het huis van de onderbaas. Niet om hem op andere gedachten te brengen, maar om wraak op hem te nemen. Hij legt het loodje. Zijn lijk verdwijnt in een kofferbak en wordt nooit meer gevonden. Zoveel is duidelijk geworden uit andere, latere zaken, verklaringen van informanten en noem maar op.'

'En waar heeft dat iets mee te maken?'

'Met het feit dat Janie volgens aantekeningen die ik ben tegengekomen, verslagen en noem maar op, die avond van de tweede april ruzie had met haar vriendje. Buren hoorden dat de ruzie buiten haar appartement werd voortgezet en dat het vriendje er uiteindelijk vandoor ging in zijn auto.'

'Misschien ben ik gewoon traag van begrip,' zegt Lamont.

'Ze was thuis op de avond dat het jurylid aan de overkant van de straat werd vermoord en in een kofferbak werd gestopt, Monique. En ze was niet blind. En iedereen die haar kende, moet dat hebben geweten. We zullen waarschijnlijk nooit weten wat er precies is gebeurd, maar het is meer dan aannemelijk dat een van de jongens van de maffia op de ochtend van de vierde april bij haar op de stoep stond. Waarschijnlijk iemand uit de straat, iemand die ze kende. Ze doet de deur open en dat is het dan. Een moord die zo wordt ingekleed dat het op lustmoord en inbraak lijkt. Lonnie, die zich er niet van bewust is dat hij een rol in het scenario speelt, komt Janie halen, doet zijn gruwelijke ontdekking en belt de politie. Boem. Maffiajongens duiken op, pakken hem en weg is hij.'

'Waarom?'

'Omdat hij op 2 april waarschijnlijk hetzelfde had gezien als Janie. Hij vormde een bedreiging. Of hij was de zondebok. Wek de schijn dat hij haar heeft vermoord, is gevlucht en toen per ongeluk is aangereden. Het probleem is alleen dat hij niet was aangereden, maar óverreden. Hoe kan dat? Is hij op de vroege ochtend bewusteloos op straat gevallen nadat Janie was vermoord?'

'Drank?'

'Er zijn geen drugs of alcohol in zijn lichaam aangetroffen. Strak plan. Haar dood is verklaard, zijn dood is verklaard. Einde verhaal.'

'Einde verhaal? Is dat alles?'

'Dat is alles. Jouw Boston Strangler-theorie? Al breekt het mijn hart, zet die maar uit je hoofd. Bel de gouverneur liever. Bel de Yard liever. Of nog beter, beleg een persconferentie. Aangezien jouw internationale zaak al van hier tot Tokio in het nieuws is geweest. En Engeland er niets mee te maken heeft, behalve dan dat ze daar een leuke jonge vrouw zijn kwijtgeraakt aan een paar klootzakken van de maffia die toevallig haar buren waren toen zij een jaar in Amerika doorbracht. Ze had beter echt blind kunnen zijn.'

'En dat is ten tijde van het onderzoek nooit aan het licht gekomen? Dat ze niet echt blind was?' vraagt Lamont.

'Mensen doen veronderstellingen. Misschien heeft niemand ernaar gevraagd, gaf niemand er iets om, vond niemand het belangrijk. En dan is daar nog de doofpotfactor. De politie werkte duidelijk samen met de maffia, want daar schijnt dit om te gaan.'

'Als ze niet blind was, waarom zou ze dan in godsnaam met ze werken?' vraagt Lamont.

'De blinden bedoel je, neem ik aan?'

'Waarom? Als ze zelf niet blind was?'

'Ze had een ziekte waar ze elke dag onder leed. Haar leven werd erdoor veranderd. Beperkt, in sommige opzichten. Daardoor deed ze haar best en werd ze ook moediger. Wonderen en goudinjecties. En niets hielp echt. Waarom zou zij zich niet om het lijden en het verdriet van anderen bekommeren?'

'Het was het niet waard, dat staat als een paal boven water,' zegt Lamont. 'Toch is het een groot verhaal, als je er maar de juiste draai aan geeft. Laten we niet te bescheiden zijn. Het kan beter niet via een persverklaring of persconferentie bekend worden, want daar heeft niemand meer vertrouwen in, het publiek niet. Zeker tegenwoordig niet.' Ze krijgt weer een geniale inval en glimlacht. 'Een verslaggever van de universiteit.'

'Dat meen je niet.'

'Perfect. En óf ik het meen,' zegt ze terwijl ze opstaat en haar koffertje pakt. 'Niet via mij, maar via jou. Ik wil dat je contact opneemt met Cal Tradd.'

'Wil je zo'n verhaal in die stomme *Crimson* plaatsen? Een studentenblaadje?'

'Hij heeft het onderzoek gedaan, met jou samengewerkt, met óns, en wat een geweldig verhaal. Het wordt een verhaal over een verhaal. Net wat de mensen willen met die hele 'iedereen is journalist, iedereen is de ster in zijn eigen film' rage. Reality-tv, YouTube. De gewone man brengt redding. Zeg dat wel. En de gewone media zullen het natuurlijk oppikken, het van de daken schreeuwen. Iedereen blij.'

Win loopt achter haar aan de kamer uit, pakt zijn iPhone van zijn riem en denkt weer aan het papiertje in zijn portefeuille. Hij pakt het, vouwt het open en net als hij Cals mobiele nummer intoetst en de deuren van de lift zich sluiten om Lamont naar de begane grond en haar auto te brengen, valt hem iets op. Hij houdt het witte papiertje omhoog, draait ermee en ziet heel zwak doorgedrukte letters, de allerlichtste schaduw onder de telefoonnummers die Cal zo netjes heeft genoteerd.

Een L, en EN, en iets als een U gevolgd door een uitroepteken. Hij rent terug naar zijn werkplek en pakt een vel printerpapier en een potlood, met in zijn achterhoofd zijn gesprek met Stump in het mobiele lab, hun onderzoek van het briefje dat bij de laatste bankoverval is afgegeven. Een briefje dat identiek is aan de drie andere die gebruikt zijn bij drie eerdere bankovervallen. Keurig met potlood geschreven op een vel wit A6-papier. Hij pakt een liniaal en tekent een rechthoek van 10,5 bij 14,8 centimeter – dezelfde afmetingen als die van het papier-

tje dat Cal hem heeft gegeven. Win vergelijkt wat hij zich
nog herinnert van het bankroversbriefje met de doorgedrukte letters en hun positie.

GELDLA IN ZAK LEGEN. NU! IK BEN GEWAPEND.

Het beeld op de bewakingsvideo. De bankrover was ongeveer van Cals lengte, maar zag er dikker uit. Geen probleem. Je trekt gewoon een paar lagen extra aan onder
je wijde trainingspak. Een donkerder huid. Donker haar.
Dat kun je op alle mogelijke manieren voor elkaar krijgen, zoals met mascara – de oudste truc van de wereld,
en je wast het er zó weer uit. Win zoekt snel in NCIC, het
National Criminal Information Center. Cal Tradd. Zijn
geboortedatum en de afwezigheid van een strafblad, wat
verklaart waarom er geen vingerafdrukken of DNA van
hem zijn opgeslagen – niet dat hij die ooit heeft achtergelaten, lijkt het, behalve dan een afdruk met koper op
de verpakking van een wegwerpcamera waarop de *luminol* reageerde alsof het een afdruk in bloed was.
Overal in de regio bankovervallen en koperdiefstallen.
Behalve in Cambridge, waar Cal studeert. En in Boston,
waar hij vandaan komt, denkt Win.
Hij belt Lamont en wordt regelrecht doorgeschakeld
naar haar voicemail. Of ze is in gesprek, of ze heeft haar
mobieltje uitgezet. Hij belt Stump. Hetzelfde verhaal. Hij
spreekt geen berichten in, maar rent het gerechtsgebouw
uit, pakt zijn motorspullen uit de koffer en scheurt weg.
Win zigzagt tussen auto's door in de richting van Cambridge, door de regen die zacht tegen zijn vizier slaat en
het asfalt glad maakt.

10

Lamonts auto staat op de inrit van de victoriaanse bouw-
val aan Brattle Street, waar geen licht brandt en geen
mens te bekennen is.

Win voelt aan de motorkap van haar Mercedes. Die is
warm, en hij hoort het zachte tikken van een motor die
kort tevoren is afgeslagen. Hij loopt naar de zijkant van
het huis, waar hij ongezien kan wachten en luisteren.
Niets. De minuten verstrijken. Alle ramen zijn donker,
en het heeft niets te maken met de kaars die hij heeft
meegenomen uit de kamer met de matras, met de wijn.
Er is iets anders gaande, ziet hij door het raam dat hij
laatst heeft gebroken. Er brandt geen groen lampje meer
op het bedieningspaneel van het alarm. Hij loopt om het
huis heen, zoekend naar doorgesneden elektriciteitska-
bels of wat voor aanwijzing dan ook dat de stroom is
uitgevallen. Hij vindt niets en loopt terug naar de achterdeur.

Die zit niet op slot, en als hij hem openmaakt, hoort hij
voetstappen op de plankenvloer. Het ongeduldig omdraaien van lichtschakelaars. Iemand die van kamer naar
kamer loopt. Lichtschakelaars die worden omgedraaid.
Win sluit de deur lawaaiig achter zich, om die ander –
Lamont, hij weet het zeker – te laten weten dat er iemand is binnengekomen.

Er naderen voetstappen en dan roept Lamont: 'Cal?'
Win loopt naar haar stem toe.

'Cal?' roept ze nog eens. 'Het licht doet het nergens. Wat is er met het licht? Waar ben je?'

In de kamer achter de keuken, die ooit een eetkamer kan zijn geweest, wordt een schakelaar omgedraaid. Win knipt zijn zaklamp aan en richt de bundel opzij om haar niet te verblinden.

'Ik ben Cal niet,' zegt hij. Hij richt de lichtbundel op de muur, zodat ze allebei worden beschenen.

Ze staan op een meter of twee bij elkaar vandaan in een lege, spelonkachtige ruimte met een oude houten vloer en barok lofwerk.

'Wat doe jij hier?' roept ze uit.

Hij doet de zaklamp uit. Totale duisternis.

'Wat doe je?' Ze klinkt angstig.

'Sst,' zegt hij. Hij loopt naar haar toe en vindt haar arm.

'Waar is hij?'

'Laat me los!'

Hij loodst haar naar de muur en fluistert dat ze moet blijven staan. 'Verroer je niet, geef geen kik.' Hij wacht bij de deuropening, op nog geen drie meter bij haar vandaan, maar het lijken kilometers. Hij wacht op Cal. Na een aantal lange, gespannen minuten hoort hij iets. De achterdeur gaat open. De lichtbundel van een zaklamp komt eerder de kamer in dan degene die hem vasthoudt. Verwarring als Win iemand pakt, een worsteling, voetstappen van alle kanten, een schreeuw van Stump en dan niets meer.

'Gaat het?'

'Win?'

'Win?'

Hij doet zijn ogen open, er brandt licht in het huis en Lappen Lijs staat over hem heen gebogen, nu in iets andere kleding: een polo, een cargobroek, en een pistool op haar heup. Dan ziet hij Stump, Lamont en een grote vent met dik, grijs haar in een pak.

'Het is mijn huis, verdomme. Ik heb het volste recht hier te zijn,' zegt Lamont.

Win heeft een helse pijn in zijn hoofd. Hij voelt een grote buil en kijkt naar het bloed aan zijn hand.

'Er is een ambulance onderweg,' zegt Stump, die naast hem hurkt.

Hij gaat rechtop zitten, ziet even sterretjes en zegt: 'Heb jij me geslagen of moet ik iemand anders bedanken?'

'Dat was ik,' zegt Lappen Lijs.

Ze stelt zich voor als speciaal agent McClure van de FBI. De grote vent in het pak is Jeremy Killien van New Scotland Yard. Nu Win alle spelers kent, stelt hij voor een opsporingsbevel voor Cal Tradd te laten uitgaan. Aangezien hij waarschijnlijk een bankrover is, en koper steelt, en de officier van justitie hiernaartoe heeft gelokt om haar te chanteren, om te kopen, te bedreigen. Monique en Win hebben het samen bekokstoofd. Een undercoveroperatie die zojuist finaal is mislukt. Lamont kijkt naar hem terwijl hij zijn web van leugens spint. Zonder een spoortje dankbaarheid in haar ogen omdat hij haar hachje redt.

'Wat voor undercoveroperatie?' vraagt McClure perplex.

Win wrijft over zijn hoofd en zegt: 'Monique en ik zijn er al een tijdje mee bezig. Hij volgde mij overal, toen begon hij haar ook overal te volgen, om nog maar te zwijgen van zijn maniakale obsessie met het verslaan van juist die misdrijven die hij naar ons vermoeden zélf pleegde. Typisch psychopatengedrag. Zo'n zeventienjarig wonder-

kind – nee, zestien, eigenlijk, hij is volgende maand jarig
–, zijn hele leven beschermd en op zijn kop gezeten, tot
hij eindelijk het huis uit ging om te studeren, jonger dan
de meesten.'

Lamonts gezicht verraadt niets, maar Win twijfelt er niet
aan dat ze van niets wist. Zelfs zij zou niet zo diep zin-
ken seks te hebben met een minderjarige, als dat is wat
er zich heeft afgespeeld tijdens hun clandestiene ontmoetingen in juist dát huis waar Cal waarschijnlijk het
koper uit heeft gestript. Waarna hij er foto's van heeft
gemaakt, bij wijze van souvenir, net als op veel andere
plaatsen. Misdaad voor de kick. Niet omdat hij het geld
nodig heeft, stel je voor. Superdief. Artikelen schrijven
over je eigen koperdiefstal en bankovervallen, dikke
maatjes worden met juist die mensen die onderzoek doen
naar je misdrijven en zelfs de officier van justitie naaien.
Geniaal, dat joch.

'Wat een gênante toestand,' zegt Killien vol weerzin.

'Wie is er op het briljante idee gekomen de elektriciteit
af te sluiten?' Win kijkt naar McClure. 'O, jullie. De grote, belangrijke FBI. En dan?' Hij wrijft over zijn hoofd.
'Het elektriciteitsbedrijf bellen en de boel weer laten aansluiten? Best cool, zulke connecties. Excuus voor de
woordspeling.' Hij wendt zich tot Stump. 'Ik hoef geen
ambulance.' Hij voelt nog eens aan de buil op zijn hoofd.
'Ik voel me zelfs slimmer. Sommige mensen die een mep
op hun kop krijgen met een zaklamp krijgen er toch een
hoger IQ van?'

'Wat voor undercoveroperatie?' vraagt Stump, die er niet
om kan lachen.

Dat geldt voor iedereen. Ze kijken hem allemaal kwaad
aan.

'Je hebt me nooit iets over een undercoveroperatie verteld,' zegt Stump.

'Nee, maar jij bent ook niet bepaald openhartig tegen mij geweest. Niet over speciaal agent Lappen Lijs, tenminste.'

'McClure,' zegt de FBI-agent.

'Een vingerafdruk op een blikje Fresca,' zegt Win tegen Stump. 'Een vingerafdruk op een briefje dat op mijn adres is afgegeven. Geen treffer in AFIS, dus degene die die afdrukken heeft gezet, heeft zeker niet in de bak gezeten voor het neersteken van haar pooier. Ze heeft helemaal geen strafblad. En nu ik weet dat ze een undercover-weet-ik-veel van de FBI is, verbaast het me niet dat er geen afdrukken van haar zijn opgenomen voor uitsluitingsdoeleinden.'

'Ik zou het je niet kunnen zeggen,' zegt Stump.

'Ik snap het al,' zegt Win. 'Je kon me natuurlijk niet vertellen dat die criminele Lappen Lijs in feite een informante was die eigenlijk een FBI-agent was die mij bespioneert, omdat ze in het echt Lamont bespioneert.'

'Ik geloof dat je beter even kunt gaan liggen,' zegt Killien tegen hem.

Stump vervolgt haar uitleg. 'Toen jij je zo vast had voorgenomen haar te volgen, Win, moest ik haar wel dat briefje met de afspraak in Filipello Park laten afgeven en alles. Om de schijn te wekken dat ik geen andere keus had dan toe te geven dat ze een informante was, zodat jij haar met rust zou laten voordat je kon ontdekken dat ze van de FBI was. Je weet hoe dat gaat. We geven onze bronnen niet prijs, dus als ik haar zo makkelijk had verraden, was je achterdochtig geworden. Ik moest dus een list verzinnen. Ik moest het laten lijken alsof ik geen andere keus had dan te zeggen wie ze was en jou te verbieden nog bij haar in de buurt te komen.'

Ze kijken elkaar even in de ogen.

'Het spijt me,' zegt Stump.

'Wat is er te vieren?' zegt Win tegen niemand in het bijzonder. 'Wat doen we hier? Want we zijn hier niet voor Janie Brolin. En ook niet voor Cal Tradd.'

'Ik geloof dat het simpelste antwoord is dat we hier zijn vanwege de officier van justitie,' zegt Killien tegen Lamont. 'Roemeense weeskinderen. Grote bedragen die van hand tot hand gaan. Wat werd opgemerkt, zodat u onder de aandacht kwam van de FBI, Binnenlandse Veiligheid en ten slotte de Yard, helaas.'

'Wat ik zou moeten doen, is jullie stuk voor stuk voor het gerecht dagen,' zegt Lamont.

En McClure zegt tegen haar: 'Het e-mailverkeer tussen u en...'

'Cal.' Lamont neemt een rol op zich die niemand beter speelt dan zij. Ze is weer de openbaar aanklager. 'Ik geloof dat rechercheur Garano al heeft uitgelegd waar wij mee bezig zijn geweest sinds het begin van die reeks bankberovingen en koperdiefstallen hier in Middlesex. Een deel van die undercoveroperatie was mijn communicatie met Cal, die zacht gezegd onze interesse had gewekt.'

'Wist jij dat ze met Cal Tradd mailde?' vraagt Stump aan McClure.

'Nee. We wisten niet wie het was. Het IP-adres was te herleiden naar Harvard, maar je hebt niets aan het nummer van een computer als je de computer zelf niet hebt...'

'Ik weet hoe het werkt.' Die blik op Stumps gezicht.

Ze vond McClure waarschijnlijk leuker toen ze nog Lappen Lijs was.

'In de laatste e-mail werd aangegeven dat u deze persoon die uw interesse had gewekt...' begint McClure.

'Cal,' zegt Lamont. 'Ik zou hem om tien uur op de gebruikelijke plaats treffen. Hier dus.'

'Hij is niet komen opdagen,' zegt Killien.

'Waarschijnlijk hoorde hij het hoefgeklepper van de cavalerie aan de horizon en heeft hij het hazenpad gekozen,' zegt Win. 'Die jongen is eraan gewend de politie te ontlopen. Hij heeft er een radar voor. Dus jullie komen hier alles verpesten waar Monique en ik maanden aan hebben gewerkt. En dat is het probleem wanneer je elektronisch verkeer volgt, hè? Zeker wanneer je undercover bent en iemand anders bespioneert die undercover is, de ene undercoveroperatie die onderzoekt wat een andere undercoveroperatie blijkt te zijn, en dan is iedereen er gloeiend bij.'

Twee avonden later, de Harvard Faculty Club.

Een neoclassicistisch gebouw met olieverfportretten op mahoniehouten lambriseringen, messing kroonluchters, Perzische tapijten, het gebruikelijke verse bloemstuk in de hal – zo vertrouwd, en erop gericht hem het gevoel te geven dat hij er niet hoort. Het is niet Harvards schuld, maar weer iets van Lamont. Als ze er behoefte aan heeft zich machtig te voelen, of nog machtiger dan anders omdat ze zich stiekem onzeker voelt, Win nodig heeft of allebei, ontbiedt ze hem steevast in de sociëteit.

Win gaat op dezelfde ongemakkelijke antieke bank zitten waar hij altijd op zit. Het *tik-tak* van een staande klok wijst hem erop dat Lamont een minuut te laat is, twee minuten, drie, tien. Hij ziet mensen komen en gaan, al die academieleden, bezoekende hoogwaardigheidsbekleders en gastsprekers, of vooraanstaande ouderparen die komen kijken of ze hun vooraanstaande kinderen hierheen moeten sturen. Dat bevalt hem wel aan Harvard, dat het een kostelijk kunstwerk is. Je kunt het nooit hébben. Je verdient het nooit. Je mag er alleen een tijdje komen, en wordt een veel beter mens door die connectie, al is Harvard jou zo weer vergeten, zich misschien zelfs nooit bewust geweest van je aanwezigheid. Dat vindt hij zo zielig aan Lamont, hoe hij soms ook de pest aan haar kan hebben, hoe verachtelijk hij haar soms ook vindt.

Wat ze ook heeft, het zal nooit genoeg zijn.

Ze komt binnen, klapt haar paraplu dicht, schudt de regen van haar jas terwijl ze hem uittrekt en zet koers naar de garderobe.

'Is het je wel eens opgevallen dat het altijd regent wanneer we hier afspreken?' vraagt Win als ze samen naar de eetzaal lopen en aan hun vaste tafel bij een raam met uitzicht op Quincy Street gaan zitten.

'Ik moet iets drinken,' zegt ze. 'Jij?' Een strakke glimlach, weinig oogcontact.

Dit kan niet makkelijk voor haar zijn. Ze kijkt zoekend naar de ober om zich heen en beslist dat een fles wijn leuk zou zijn. Wit of rood? Maakt niet uit, zegt Win.

'Waarom heb ik het gedaan?' Ze spreidt haar linnen servet over haar schoot uit en reikt naar haar water. 'We weten het allebei, en even voor de duidelijkheid, dit gesprek zal niet alleen nooit worden herhaald, maar heeft zelfs nooit plaatsgevonden.'

'Waarom zou je de moeite dan nemen?' zegt hij. 'Waarom nodig je me uit voor een etentje als je alleen maar wilt praten over niet praten en me de belofte wilt ontfutselen dat we nooit meer over niet praten zullen praten? Of wat je daarnet ook maar zei?'

'Ik ben niet in de stemming voor woordspelletjes.'

'Brand dan maar los. Ik luister.'

'De Foundation of International Law,' zegt ze. 'De stichting van mijn vader.'

'Ik geloof dat we allebei zo langzamerhand wel weten wat FOIL is. Of wat jij ervan hebt gemaakt. Een bv, een façade ter bescherming en verhulling van degene die achter de aankoop zit van een victoriaanse ruïne van miljoenen waar jaren werk in gaan zitten voordat hij weer bewoonbaar is. Jammer dat je geen andere naam heb uitgezocht, ik moet me wel afvragen of het geen slecht karma is om een naam te kiezen die verbonden is aan een vader die je altijd heeft behandeld...'

'Ik geloof echt niet dat jij in een positie verkeert om mijn vader te bespreken.'

De ober komt een zilveren ijsemmer en een goede fles Montrachet brengen. Hij ontkurkt de fles. Lamont proeft. Er worden twee glazen gevuld, de ober verdwijnt en Lamont pakt de kaart.

'Ik weet niet meer wat je hier meestal neemt,' schakelt ze op iets anders over.

Win schakelt terug. 'Ik verkeer meer dan wie ook in de positie om je vader te bespreken, Monique, want als puntje bij paaltje komt, is hij degene door wie je je in een wespennest hebt gestoken dat...'

'Ik heb geen behoefte aan jouw versie van wat er had kunnen gebeuren.' Ze neemt een slok wijn. 'Verbaast het je echt dat ik een ander huis wilde kopen? Dat ik misschien niet meer in mijn oude huis wil wonen? Waar ik maar zelden ben. Bijna nooit. Ik heb zelfs een suite in het Ritz gehuurd, maar het is geen lolletje om op en neer naar Boston te rijden.'

'Ik begrijp waarom je een huis hebt gekocht. Ik begrijp waarom je je huidige huis kwijt wilt. Ik heb nooit begrepen hoe je daar nog een nacht kon doorbrengen na wat er is gebeurd.' Het komt er allemaal omzichtig uit. 'Maar laten we naar de aaneenschakeling van gebeurtenissen kijken, en naar hoe onderliggende emotionele problemen je kwetsbaar hebben gemaakt voor iets wat je niet nog eens wilt doen. Nooit.'

Ze kijkt om zich heen om zich ervan te verzekeren dat er niemand meeluistert, kijkt naar de regen, naar gaslantaarns en gladde klinkers, en even trekt er iets droevigs over haar gezicht.

'Je vader is vorig jaar overleden,' vervolgt Win zacht. Hij zet zijn ellebogen op het witte tafelkleed en leunt naar voren, opgaand in het gesprek. 'Hij heeft de helft van alles aan jou nagelaten. Niet dat je krap zat, maar nu heb je de beschikking over wat de meeste mensen een fortuin zouden noemen. Dat is nog geen verklaring voor je gedrag daarna. Je bent nooit arm geweest, dus als jij plotseling met geld gaat smijten, moet er iets anders aan de hand zijn. Voor honderdduizenden dollars aan kleding, een auto, wie weet wat nog meer, en allemaal contant. Miljoenen voor een huis terwijl je al een huis van miljoenen hebt, en je huurt een suite in het Ritz. Geld en nog eens geld, en al dat geld stroomt van een Franse bank naar een bank in Boston en wie weet hoeveel andere banken.'

'Mijn vader had rekeningen in Londen, Los Angeles, New York, Parijs en Zwitserland. Weet jij een andere manier om grote sommen geld te verplaatsen dan door het over te boeken? De meeste mensen stoppen het niet in een koffer. En kleren en auto's contant betalen heb ik altijd al gedaan. Nooit iets op krediet kopen wat al aan waarde verliest zodra je de winkel uit loopt. En dat huis aan Brattle Street? De markt is zo hopeloos dat ik het voor een schijntje heb gekregen, vergeleken met wat het straks waard is als ik het heb opgeknapt – en onze economie is opgekrabbeld, als het er ooit nog van komt. Ik hoef geen hypotheek als aftrekpost, en ik heb eigenlijk geen zin om de details van mijn financiële portefeuille met jou te bespreken.'

'De feiten. Je hebt met enorme sommen geld geschoven. Gigantische aankopen gedaan, contant. Je bent zo koopziek geweest als ik je nog nooit heb meegemaakt, en ik ken je al vrij lang. Je hebt geld gegeven aan goede doelen zonder ze na te trekken. Vervolgens laat je je in met...'

Ze steekt een hand op. 'Geen namen.'

'Het komt zeker van pas om een huis te hebben waar je niet woont en dat niet op jouw naam staat,' zegt Win. 'Een goede plek voor een paar ontmoetingen. Of drie, of vier. Zulke ontmoetingen kun je beter niet in het Ritz hebben. Of in een huis waar de buren je kennen en je misschien door hun raam in de gaten houden. Of in een studentenhuis.' Hij neemt een slokje wijn. 'Met een student.' Hij houdt zijn glas op. 'Niet slecht.'

Ze wendt haar blik af. 'Hoe zou de rechtszaak uitpakken?'

'Je kunt je moeilijk voorstellen dat hij minderjarig is. Ik had het nooit geraden.'

'Hij heeft gelogen.'

'Je hebt het niet nagetrokken.'

'Waarom zou ik?'

'Over niet natrekken gesproken, heb je ooit naaldsporen op zijn handen gezien? Aan de binnenkant, op zijn vingertoppen?'

'Ja.'

'Heb je ernaar gevraagd?'

'Botoxinjecties tegen zweethanden,' zegt ze. 'Zijn vader is plastisch chirurg, dat weet je. Hij is ermee begonnen toen hij optrad. Je weet wel, pianoconcerten. Zodat zijn vingers niet van de toetsen zouden glijden. Nu gaat hij ermee door omdat hij keyboard speelt, hij is eraan gewend geraakt.'

'En dat geloofde jij.'

'Waarom niet?'

'Tja,' zegt Win. 'Ik was er zelf ook niet opgekomen. Tenzij ik hem toch al verdacht. Trouwens, ik had er nog nooit van gehoord. Botox in je vingertoppen. Het moet verschrikkelijk pijnlijk zijn.'

'Je kunt niet alles hebben,' zegt Lamont.

'Dat kan nooit. Maar je kunt een bank binnen lopen en met schone, droge handen een briefje onder het glas door schuiven. Geen vingerafdrukken op het papier.'

'Als je dat allemaal wilt bewijzen, wens ik je veel sterkte.'

'We hebben zijn koperafdruk, bij gebrek aan een betere benaming. Op die cameraverpakking die hij stom genoeg in de keuken van je nieuwe oude huis had laten liggen. Wees maar niet bang, hij wordt voor een hele tijd opgesloten,' zegt Win.

'Hoe gaat het verder?'

'Ik begrijp de vraag niet,' zegt hij.

Ze kijkt hem recht aan. 'Natuurlijk wel.'

De ober drentelt naar hen toe, vangt haar seintje op en trekt zich terug.

'Hij is een pathologische leugenaar,' zegt Win. 'Die ene afspraak waar anderen getuigen van zijn geweest? Nou, niet alleen was hij er toen niet, die getuigen zijn op de hoogte van een undercoveroperatie die een aantal e-mails kan verklaren die de FBI en anderen eerlijk gezegd liever niet in de openbaarheid zouden willen brengen. Aangezien de Patriot Act ongeveer zo geliefd is als de pest.'

'Jij bent er eerder geweest,' zegt ze. 'In het huis. Je hebt me naar mijn auto zien lopen. Je hebt gezien wat ik bij me had. En de rest.'

'Daar is geen bewijs van, en ik heb hem die avond helemaal niet gezien. Wat me wel van het hart moet, is dat ik het niet op prijs stel als iemand in mijn huid kruipt. Als deel van de kick. Mijn spullen stelen...'

'Om je erin te luizen?'

'Nee. Om míj te stelen. Het is een psychologische kwestie,' zegt Win. 'Waarschijnlijk te herleiden tot wat zijn moeder over me zei toen ze op huizenjacht waren, waardoor hij zich nog onbeholpener en wrokkiger ging voelen dan hij toch al deed. Enfin. Voor hem zal het wel geweest zijn alsof hij in mijn huid kroop, in mijn schoenen stond. Hij had me overmand op zijn eigen, bizarre manier. Je hebt de wijn die hij van me had gejat niet opgedronken.'

'Ik was er niet voor in de stemming,' zegt ze. Ze kijkt hem weer recht aan. 'Ik was nergens voor in de stemming, eerlijk gezegd. De lust was me snel vergaan, wat niet in goede aarde viel, als je begrijpt wat ik bedoel.'

'Je speeltje ging vervelen.'

'Ik zou het op prijs stellen als je zulke dingen niet zei.'

'Dus die keer, waar ik min of meer getuige van was, liep het niet zo lekker. Toen je uit het gerechtsgebouw kwam, leek je ruzie met iemand te hebben. Via je mobieltje. Je leek overstuur, en ik ben je gevolgd.'

'Ja, ruzie. Ik had geen zin om erheen te gaan. Naar het huis. Hij drong aan. Hij wist dingen van me. Ik kon moeilijk weigeren. Ik zal even zo eerlijk zijn je te vertellen dat ik niet wist hoe ik van hem af moest komen. Bovendien heb ik geen idee hoe ik er eigenlijk in verzeild was geraakt.'

'Ik zal even zo eerlijk zijn je te vertellen hoe het allemaal is gegaan. Volgens mij,' zegt hij. 'Als je je machteloos voelt, ga je dingen doen die je een gevoel van macht geven. Met je uiterlijk. Kleren. Een huis. Auto's. Contant betalen. Je doet al het mogelijke om je begeerlijk te voelen. Sexy. Tot op het, nou ja, misschien zelfs exhibitionistische af.' Hij zwijgt even. 'Laat me raden. Hij heeft die filmpjes op YouTube gemaakt. Alleen was het niet zijn idee, maar het jouwe. Nog iets waar hij je mee kon chanteren.'

Haar zwijgen zegt alles.

'Ik moet het je nageven, Monique. Ik geloof dat ik nog nooit iemand heb ontmoet die zo doortrapt is als jij.'

Ze drinkt haar glas leeg. 'Stel dat hij er iets over zegt. Tegen de politie. Of, nog erger, in de rechtszaal.'

'Je bedoelt dat hij je vuile was buiten zou kunnen hangen, bij wijze van spreken? Al ben je wel zo verstandig geweest die niet ter plekke achter te laten na je…?'

'Als hij iets over iets zegt,' kapt ze hem af.

'Hij liegt over alles,' zegt Win schouderophalend.

'Dat is waar.'

'Wat je verder nog doet als je je machteloos voelt?' zegt Win. 'Dan kies je iemand die veilig is.'

'Kennelijk niet. Dit was allesbehalve veilig.'

'Je wilt je begeerd voelen, maar wel veilig,' zegt Win. 'De oudere, machtige vrouw. Aanbeden maar veilig, want zij heeft de touwtjes in handen. Wat kan er nu veiliger zijn dan een intelligente, artistieke jongen die als een hondje achter je aan loopt?'

'Vind jij Stump veilig?' zegt Lamont met een knikje naar de ober.

'Waarmee je wilt impliceren...?'

'Ik denk dat je wel weet wat ik impliceer.'

Ze neemt salade met een vinaigrette en een dubbele portie tonijncarpaccio met wasabi. Hij bestelt zijn gebruikelijke steak. Met salade. Geen gepofte aardappel.

'We zijn goede vrienden,' zegt Win. 'We werken en spelen leuk samen.'

Het is zonneklaar dat Lamont twee dingen wil weten, maar zich er niet toe kan zetten ze te vragen. Is hij verliefd op Stump, en heeft ze hem verteld wat er jaren geleden is gebeurd toen Lamont zich in Watertown had bezat?

'Ik zal het nog eens vragen,' zegt Lamont. 'Is ze veilig?'

'Ik zal het nog eens zeggen. We zijn goede vrienden Ik voel me volmaakt veilig. En jij?'

'Ik verwacht je maandag terug bij de recherche,' zegt Lamont. 'Ik weet dus niet of je nog veel met haar zult samenwerken. Tenzij er een moord wordt gepleegd en zij met dat nogal ridicule busje komt aanzetten, natuurlijk. Wat me bij een laatste punt brengt. Die organisatie die zij heeft opgezet.'

'Het FRONT.'

'Wat gaan we daaraan doen?'

'Ik denk niet dat we iets kunnen doen,' zegt Win. 'Het is komen opzetten als een front, het maakt zijn naam waar. Daar kom je niet meer van af.'

'Dat bedoelde ik ook niet,' zegt Lamont. 'Ik vroeg me af hoe we zouden kunnen helpen. Als ze dat fijn zou vinden.'

'Stump?'

'Ja. Om haar blij te maken. Zich veilig te laten voelen.'

'Dat zou ik zeker doen als ik jou was,' zegt Win. 'Ik kan veilig zeggen dat dat heel verstandig zou zijn.'